河出文庫

笙野頼子三冠小説集

笙野頼子

河出書房新社

目次

笙野頼子三冠小説集

タイムスリップ・コンビナート

去年の夏頃の話である。マグロと恋愛する夢を見て悩んでいたある日、当のマグロともスーパージェッターとも判らんやつから、いきなり、電話が掛かって来て、ともかくどこかへ出掛けろとしつこく言い、結局海芝浦という駅に行かされる羽目になった。――そこはJR鶴見線の終着駅で長いホームの一方が海に面している。もう一方に出口は一応あるものの、それは東芝の工場の通用口を兼ねたもので、社員以外の人間は立ち入り禁止である。つまり、一方が海で一方が東芝。外へ出ようとしたら方法はふたつ。海へ飛び込むか、東芝の受付で社員証を見せるか――というわけでその駅のホームに魚でもなく海蛇でもなく東芝の社員でもない人間が降り立ったとしたら、折り返しの電車が出るまでただ、ホームに立ち尽くしている事しか出来ないのだった。

そんなところにまで行かされたというのに、未だに電話の主が誰なのかは判らなかった。熟睡している時にベルの音で起こされ、そもそも電話自体を夢だと思っていたのだ。

最初、もしもしと言ってから三秒黙っていたので、私はてっきり××からだと思っていた。その時は聞き覚えのある感じの声であった。××から電話の掛かってくる夢だと思ったのだ。それ故その場だけの勢いで安易な応答をした。

——はい、沢野です。はいはいはい。

この、はいはいはい、というのは事情は全部判っているし、もう挨拶をする根性もないのですぐ用件に入ってくれという、慣れた相手にだけ通用する、催促がましい、サインだった。というか寝惚けていればそんな反射的に喋れる言葉しか出ない。相手はまた調子のいいやつで、それをビジネスライクに受けたのである。

——えーとですね、……あ、それじゃああのお約束のあれはもう、お考えに、なりましたでしょうか。

その言葉にまた反射のおもむくまま——ああああああ、そうですね、ととりあえず答えた。無論何の事か判らない。何の約束か判らないという意味でさえない。どだい約束などしていないのである。その上にいくら夢の中とはいえ、私はマグロとの恋を引きずっている立場なのだ。

——ともかくですね、何とかどこかへ出掛けて戴かないと、ですね。どこでも好きなところでいいんですから。

あ、はいはいはいはい、ですから、ですから、と言うばかりだった。そもそも、出掛けろと言われても事情が判らない。好きなところと言われても好きなところがない。夢の中のマグロとの恋愛のせいで、私はどこにも、行きたくなくなっていたのだった。強いて行くのならマグロのいそうなところに行きたいとは思った。——ならば、葛西臨海水族園等に行けばよさそうなものだ。が、そこにいるのは現実のマグロであって私の考えている夢のマグロとは少し違う。つまり、たとえ本物のマグロはいなくともいかにもマグロらしいところに行きたいというのが希望なのだ。それが私のマグロに近い、場所だったのだ。が、それではどこに行くか、と聞かれても実は、全然答えられない。答えもないまま、ただマグロとの恋愛に凝ってしまっていた。まあ、恋愛で凝るという言い方は変かもしれないし、陶酔とか耽溺というような身も世もない感じに、本当は持って行きたいのだが、所詮、夢の中のこと、目が覚めてしまうと今ひとつとなる。それ故、恋愛に凝っているとしかいいようのない、そんな曖昧な状況、になってしまった。

……夢のマグロのいる夢の海は、恋に相応《ふさわ》しい青さではなく、油の付いた灰色の金属のようにぼっと光り、細かい波だけが嬉しげにざわめいていた。そんな海が、枯れ草の生えた丘の向こうの、コンクリートで固めた狭い視界の中にほんの少し見えた。

夢の私が夢の景色の中を歩いていると魚屋があって、木の箱には魚が入っていた。魚のサーカスの夢をよく見るから、またそういう展開になるのだとなんとなく思った。が、サーカスは出て来ず、ただ、木の箱を眺めただけであった。箱には魚と一緒にさまざまな形の、少しも美しくなく透明度だけ高い瓶が、並んでいた。その瓶が妙に欲しくなって、私は魚屋の側に寄った。すると、魚を売っていたのがそのマグロだった。と言っても平均的なマグロとは何となく違う。マグロのシルエットを持った影のような生き物だ。

全体は確かに魚なのだが、首のところが括《くび》れ、眼は興奮した猫のように瞳孔が開き、それも無論現実の魚の眼とは違う。肌もマグロというより、獲れたての鰹のように銀色で硬く、身長は私より少し低い。百六十位で——そんなマグロが細い長い鰭《ひれ》をペンギンが翼を出すようにして、先を少し観葉植物のように巻き上げて見せ、さらには人間に似て正面についた逆三角の顔を、左に傾けてこっちを見た。私は少し困った。というのもうちの猫は毎日マグロのキャットフードを食べるからだ。それ故に私はいつか彼の事を、マグロではなくて男の人魚かもしれないと思い始めた。というよりそんな考えの中に逃げた。或いはマグロの中から進化したものだと。するとそう思った時、心が通じた。マグロはこっちを見て頷いたのだ。それは恋人としてのマグロだったのだ。但し、恋といっても目と目を見交わす以外の事は起こりえないし、それが最高の到達点になる。触ると爆発する恋愛用マグロ。そういう存在であったらしい。そこから先の展開は一切なかった。——つまり、恋はただそこにあるだけの、恋だったから。——ところで、さて、この、電話への返答をどうする。

もしどこかに行くなら、まず常識的に、やはり、「マグロのいるところに行きたい」と言うべきであろう、と私は思った。でもそれだけでは私の意図とは、結局ずれてしまう。ならばその前説として、電話の相手に、マグロとの恋を、いきなり告白してしまうというのはどうなのだろうか。——ともかく、相手はとてもお出掛けして欲しいようだし。

――出掛けて戴かないと、……二十一世紀ですし。

それがどうした。うん、そうか。つまりもう二十一世紀に入ってしまったのだ。そうすると、今の私は恋マグロ二十一世紀、まるで、カブキの題名みたいである。

――あ、判ります。判ります。聞いておりますです。

無論、判るはずはない。嘘に決っている。聞いてもいない。でも口は自動的に嘘をつけるように、今は、心から離してある。その方がまた、さもいろいろ考えているかのように、ずっと賢そうに、喋れるのだ。

――それはもういろいろ考えておりますです。実にさまざまです。ただ……。

――……はい。

随分怖い「はい」もあったものだ。

だって相手の「はい」は、嘘だ何も考えているものか考えているのだったらその事を言えよ、という意味の「はい」なのである。が、そんな「はい」ですら実は寝呆けの私の前には無力なのだ。私の場合口と心が離れていさえすれば、相手の出方がどうでも少しも怖くはない。たとえどのようなタイプの「はい」が来たところで、論理整合性だけを気にしながら、何の意味もない言葉をペラペラ出す事も出来るのであるから。つまり、このように。

――ああ、はい、ですね。はい、はい。それはどこかに出掛けるということのはい、ですよねえ。ええ、それならば、はいそれについては、はい、理想的に私は完璧です。

ただ、後はですねえ、どこへどちら側から行くか何をするか、例えば、いくら払って誰と一緒に何のために行くかと、はい。

言ってしまってから、自分があまりに論理的なので感動した。が、相手は論理が嫌いなタイプらしい。

――あ、そーんな事言ってる間に出掛けてくださいよお。

いきなり感情を、気分を絡めて来たのだった。すると、ああなんということもない肉声であるのに、なんという圧倒的な迫力であろう。感情の力。気分の強さ。このままでは説得されてしまいそうだ。要するに私は目が覚めて来たのだった。論理だけでまったく中身がないというあり方が、自分でも負担になり始めているのだった。無論その一方、そんな負担など何でもないという、開き直った考えも湧き上がって来た。

でも、それにしてもこいつは誰なんだろう……電話機の横では隙間風のように、マグロがいるらしい灰色の海が、すーすーと動き始めているのだった。もし電話の相手が当のマグロだったらどうする、とふと頭に浮かんだ。が、ときめく代わりに、ああ私は今なんでもマグロに結び付けてしまう、要するに凝り性なんだなあ、と思っていた。

そうして夢の海の灰色を意識している間に、相手方は、こちらの気のない様子をきちんと察したらしく、結局自分好みの方向に話を進め始めた。

――……うーんと、……僕が思うのはですね、月並みのカルチュアー、文化よりはやはりですねえ、沢野さんの場合はもうとても変なところに行き、そこで素人写真を撮ってきて欲しいんです。

おや、沢野さんだって、なんだやっぱり私に掛かって来ていたのだ。間違い電話だと思ってなめていたというのに。おまけに写真だとか言っていやがるが、写真の仕事なんていつ引受けたのだろう。とりあえず、適当に相槌を打つ。

――ふうむ。私の、場合ですか。

相槌なんて意味あり気に聞こえればそれで良かった。相手もそれで気が済んでいる様子だったし。

――ええ、……そうなんです。そうなんですとも。

が、その後がいけない。

――ともかく、です、ね、……うん、まずあなたは普通の事やお洒落《しやれ》な事はしないし、それにいつも変な事件に巻き込まれますよね。それもまともな人間相手に馬鹿な事件を起こし被害者になって騒ぎ立てるし、世間を知らない。特に政治と経済は駄目だし、だからそういうすごく変なところを活用して、ともかくどこへでも行って下されればそれで、いいのです。要するにね、たかが、ほら、平成なんですから。

なにが平成だ、随分言ってくれる、と思いつつもどうでもいいやという感じでつい聞き流してしまう。だって嫌だったら断ってしまえばいいのである。どうせ何の覚えもない相手なのだから。でも、……それにしても結構当たっているね。変人で素人で文化から遠いのだ。ただ、そこで気付いた。――そうだ、カメラだって、文化なのだと。素人写真を撮るのにも最低限の常識と幸運がなくてはいけないのだ。

　私はそういう視点から相手を凹まそうと、強いて不安そうな声を作ってみた。怒りをぶつける代わりに変なすね方をするのも、ひとつの手である。いや、でも、それも寝惚けているせいか。

　――ふーん、ふーん、ふーん、写真撮るの、そいで、カメラねーえ、写ルンですで良ければねーえ、あるんですけどねーえ。でも撮れるかなー、どーせー、カメラなんて。と言った途端に、――半睡眠状態の頭の無駄な鋭敏さで、カメラについての記憶がごそりと蘇った。

　……九年前に一度、人に借りたカメラでイタチの写真を撮った。ガラス越しにシャッターを切ったためにそれはハレーションというわけの判らないものを起こしていた。イタチの写真の像は背景にした日本庭園も含め、ひび割れたり、曇ったり、中には被写体の背中から後光が差しているというものまでもあった。イタチの神様という具合だった。本当は戸を開けて撮りたかったのだが、そんな事をしたら逃げてしまう。私の写真歴というとそれだけである。

　で、そんな事も言ってびびらせてやろうと思ったのだが、その途端に、相手がさ程驚いていないという設定が現れてきた。こちらの不具合に、むしろ、感動しているのだった。

　――おおっ、そうか、カメラ持ってないかあ、それだったらそれも、面白いなあ。

いたずら電話かもしれないと思い始めていた。そこで、

——そうなんですよ。本当に面白いですよねえ。

受け流してやった。困惑するだろうと思ったのだ。が、そうなるとまた、展開が違う。

——……でーもねーえ、カメラは新宿なんか行けばーあ、五万円くらいで売ってるんだけどなーあ。

ふん、そんな事は少しも面白くなかった。私は慌てて、出来るだけ平気そうに言った。

——ええと、今ハ、カメラハ、要ラナイデス。

そうだ相手はカメラのセールスマンなのかも。今時そんな業種があるかどうかは判らないが。

——カメラ、買いませんか……うーん。

カメラのセールスマンではなくてカメラの勧誘員なのかもしれなかった……彼は、フィルムとか卵などを持ってカメラの勧誘に来る。断るとチキンライスの型をおまけに付けますという。だがそれだと、毎朝毎晩戸口のところに、新しいカメラが配達されてしまう……そう言えばこの前もどこかでインタビュアーがファクシミリ買いませんか五万円くらいで新宿に売っていますよと言っていたではないか。電気製品は何でも均一価格五万円になってしまったのか。だが、五万円というのは私の半年間の余裕と安心を左右する金だ。ファクシミリは確かにそろそろ必要ではあるが、カメラなど一生に九回も使わないはずだ。そもそも何でみんなこんなに電気製品を軽く扱うのだ。

だってひょっこりひょうたん島の放映が始まった頃、あの頃親が買ったカラーテレビなどは、なにか一財産という感じだったのに、形見分けと言ったらカメラと背広だったし……でも、おや、でも一体私はどうしたんだ。気が付けば昔の事ばかり思い出している。コレハアブナイ。ただ相手は気付いていない。そしてせかすばかり……。

――じゃ、とりあえず行きましょうよ。ね、ともかく、変なところ、変なところ。

――ああはいはいはい、だったらものすごく変というと例えばですねえ。

そこで私は電車賃が片道二百円以下で済む行き先を考え始めていた。なんだか金を使う気がしないのであった。相手が相手なので惜しむという感じ。だって最近、私の部屋の中にはお金が少なく、貯金通帳の残高にも数字が少ない。それ故古いバッグの中に入り込んでいるはずの五百円玉の事を急に思い出して、それで幸福になったりする毎日である。そうだ、電車賃が二百円以下で、チケットのいらないところに行ってやろう。

無料のとこ無料のとこと、頭が勝手に働いて捜している。やがていつの間にか電車賃すらいらない変な面白いイベントが浮かんで来た。気が付くといかにも明晰そうな、ずっと前から考えていたような滑らかな声に変わって、私はその件を持ち出していた。

――あ、そうだ、それじゃ私は選挙に行ってきます。投票所の写真か、窓の下をよく通る有名二世議員の写真でも、添えておきましょう。どうです、面白いイベントと写真。

議員がよく通るというのは出まかせである。なるほど、いつだったか一度、本当にその有名二世議員は窓の下を通ったけど、彼は灰色の背広の腰を折って、しんどそうにとろとろ歩いていた。ブティックの前で腰を折ったまま向きを変えて、昔の婦人が和装コートを着る時のように穏和《おとな》しく手を上げ、目の前のショーウィンドーに向かっても手を振り、お辞儀をしていた。あの時に写真を撮っておけば良かったのだ。だって何で外になんか行かねばならないのだ、このポイントに住んで。

集合住宅の三階にある私のワンルームの、窓は商店街に面していた。何だって見えた。阿波踊りの行列から地元の選挙演説、パトカーの逮捕劇、酔っぱらいの殴り合い、早朝のヘビメタの痴話喧嘩まで、全ていながらにして眺める事が出来た。外に出るのが嫌な時は、そこから全世界を眺めているつもりになれば良かったのだ。——などと言うと、それでも外国は見えんでしょう、と温厚な人が、手慣れた態度で、こちらが反論するためのきっかけを作ってくれるなどという事が起こりそうな状況だが、でも外国に近い眺めならあった。

例えば不況以来姿の減ったと言われる外国人は、夜になると必ずこの窓の下をひっきりなしに通る。ペルーにバングラデシュ、そしてホンコン、歌にある万国の労働者というフレーズを思い浮かべるしかない。ああ、いつか確か彼らは口々に窓の下で、ジンバブエのチョコレートを、バレンタインデーに売り出すとか言ってなかっただろうか、いや、ケニアのだっただろうか。違う。ケニアの方は確か、チョコではなく——そう、ケニアの。

アリという人が浦和の病院から、私の家の向かいの病院の清掃をしている友達を訪ねて来て、友達がいなかったので帰りの電車賃を借りる事が出来ず、交番で借りようにも行けば不法滞在で捕まってしまう、パスポートもない、だから七百円貸して下さい、と頼んで来ただけだ。その頃は都立家政に越したばかりで、ケニアから来たと聞いただけで、寒い頃だったし気の毒になって、というよりケニアという言葉からその遠さを体で想像する事が出来なくて悲しくなり、結局七百円貸してしまった。でもいつの間にかそれから一年以上たってしまった。まだ返して貰ってない。

どうしたんだろう。彼は、ケニアへ選挙をしに帰ったんだろうか。——違う。選挙に行くのは私だ。私が選挙に行く、と電話で言った。だがその選挙に行かせるという。電話の、あなたは誰。

まあいいや、まあまあ、今は選挙、選挙。でも相手はそれがまた気に入らなくて。

——うーん、選挙、だってしかし選挙よりも、やはり今は不況ですからねえ、……不況で昭和というコノテーションですよね、ですからほら私共にはね、海芝浦というね、駅があるんですよ。それで、あなたそこに行きませんか。

——え、何ですって。

どうもまたしても急に、変な事を言われたような。

——だ、か、ら、海芝浦、うみしばうらっ、ですよ。

すでに、あっという間にテーマが違っている。時代も平成から昭和に戻っているのだろうか……でも、なんだって、駅だって、うみ、それにしても聞きにくい駅名である。

――ええと、えき、なんですね、それでうみ、なんですって、……海品川《うみしながわ》、馬白裏《うましろうら》、なみ、しまうら、ちょっと、待って、下さい。

寝起きの不機嫌もコミで私は駅の名をずらしてやる。でも相手は気付かない。真面目に教える。

――だ、か、ら、うーみーしーばーうらっ。

――ええと、きーみしーまならっ、君島奈良、ですか、山の中なのねえ。

不機嫌が加速して言葉はまたずれた。奈良の近くに君島というところがあるに違いないと私はすぐさま連想した。私は伊勢出身なのだが、伊勢松阪、伊勢川崎、などと伊勢市の外に地名の複合したところがあるらしいからだ。それでは奈良出身の君島の人が奈良を偲《しの》んで、そのような地名を付けたのであろうかと連想は走る。でも相手は「誠実」だ。

――いーえっ、違いますよっ。だから、海だっていうの。う、み、し、ば、う、ら。

やっと、言葉を、普通に受け取れる瞬間が来る。

――判った。それは、海で芝で浦だ。

――あたり前じゃないの。聞いた事あるでしょう。

――いいえ、ただの一度も。

そこで初めてその駅の名前を知った事になる。海で芝で浦、うでみでしでばでうでらで、ある。昔ぷとらとちとなでプラチナというのがあったがそれよりも変だ。眠い頭の無駄な鋭敏さが勝手にはね上がって、その言葉に相応しい光景を勝手に想像する。

気が付くとまるで書き割りのようなわざとらしい、ぴかぴか光る一枚の布のような海を私は見ていた。その海のあちこちに島もないのに、大量の芝が生えているのだった。頭の中に幽霊のような手がふっと浮かんで、その芝を一本だけぴっと引っ張った。と、全ての芝が一本の糸のように繋がった。どんどんその手元に手繰り寄せられてしまう。芝と一緒に海も縫い目を引っ張られた布のようにめくれ上がる。やがて、どこからか、捕獲禁止になったタイマイの壁掛けに乗って、ボロボロのミイラになった、衣装だけが歌舞伎のように色鮮やかな、腰蓑も着けたウラシマタロウが、つつーっ、と滑り出て来た。そのウラシマが消えると、その下にあらためて、漸《よう》く《や》、浦、と呼ぶに相応しい現実感のある海が現れたのだった。

あっ、と思ったその海はマグロと会った海に結構似ていた。いつしかなんだかその変な駅に対して、異様に肯定的な気分が発生していた。そうか私は凝り性じゃなくてただしつこいだけだ。でもアイシテイル。恋愛用のマグロを。

——ああ、似ている海、アア、ニテイル、ウミ。

私は呟いた。が、それは独り言だ、電話口の。でも、——。

応答されてしまった。

——うん似ている、海よ、すっごくね。だからね、その駅に行きましょうよ。ともかくプラットホームの片側が海なんですから。

なるほどそこをウラシマタロウがつーっと行くのか……マグロのいる灰色の海がまた鮮明になった。が、それはすぐに消え、夏だというのに、体の片側だけ、ぶるん、と震えて、体側はいっぺんに鳥肌立ってしまった。冷静になった。言う事は変だけど。

——うーん、ウラシマ伝説とプラットホームかあ。

——えっ、ナニヲバカナコトヲイッテルンダロ……イラッシャイヨ……片側は東芝の工場なんですよ。

そこで、耳を疑った。

——……イラッシャイヨ……。

とふいに聞こえたのは、電話が混線したのか、それは、あまりにも懐かしい声であった。同時に今まで一度も聞いた事ない声であった。夢のマグロが、私を呼んでいた。初めて、マグロが声を出した。しかも……来いと言っている。海芝浦へ。だが正直なところ、イラッシャイヨというその言葉が、海芝浦にという意味なのかどうかは判らないのだった。そこで私はあわててマグロに向かって語りかけた。

——今なんて言ったの。どこへ行けばいいの。あなたはどこにいるの。

——はあ、なんですって。

ついつい恋愛用らしい真面目な声になったが、結局自分でも演技臭いと思った。そもそも相手は、この世のどこにもいないマグロなんだから。その上このマグロの混線は、相手には聞こえないらしい。いや、それとも電話の主が何か企んで、あたかも混線のような声音を使って、自分の正体を現したのか、そうすると相手は私のマグロなのか。そしらぬ顔のマグロ。そんな馬鹿な。でもありうる。そしらぬ顔をして、喋り続け、私を導く。……。

——だーかーらー、プラットホームに海の風が吹きつけるんですよ。夢の中の、ように。

頭の中の海芝浦は、リゾート地のような感じに今度は変形していた。ガラス張りのショールームと完璧な日本庭園のある東芝の建物。プラットホームには海芝浦にようこそと書かれていて、海には遊覧船が航海している。工場の一階にはレストランがあって、そこからはただプラットホームを隔てただけの間近な海を眺める事が出来る。無論その前には天然宝石掴み取りのビラを配っているジャンパー姿の老人、旅館の旗を持って半《はん》纏《てん》を着た、若い男が大声を上げているのである。が、これではまるで修学旅行で行った長崎ではないか。

たとえ工場であっても海沿いの駅だから喫茶店くらいはあるのだろう、と私はそこで、勝手に納得した。なにしろその店で私とマグロは向かい合っている。彼が気になればこそ、私は話を長引かせようとしたのだろう。だって、私はそこでまたどうでもいい事を聞いた。

——ふうん、風が吹きつけるプラットホーム、そこで絵葉書なんかを、売っているのかしら。

——え、……、そうじゃなくてね、ともかくブレードランナーみたいなんですよ。

え、ブレードランナー。その初出の言葉で、より一層わけが判らなくなった。まず東芝とブレードランナーその関係やいかに。あるいはマグロは東芝で造っている人造マグロなのか。どうりでどこか、ロボット臭いと、思っていた。いや、ブレードランナーはレプリカントだ。じゃあ、だったら。

――だったら東芝でレプリカントを造っているんですか。

私のマグロは東芝の生産物なのか。

――いえいえいえ、いえいえいえいえいえいえっ。

強い強い否定。ごまかすための否定か。私は何かまずい事をずばりと、指摘したのだろうか。

――いえっだからブレードランナーと言っても決してレプリカントとかの話ではなくてね、つまりね、そこは高度経済成長の名残の路線なんです。

置いて行かれる、私のマグロから。というのも相手はマグロどころかそこからずっとマクロな経済の話をし続けたから。つまりブレードランナーなどという外国語よりも、もっとわけの判らない話が出て来たから。そもそも私は高度経済成長など知らないのである。この世の中でそれは一番無縁の言葉だった。

執筆と家計簿の相剋《そうこく》の中で、ひたすらこの八年浮世離れした夢小説を綴ってきた身は、円高差益と消費税のあたりまでしか経済史を遡《さかのぼ》る事が出来なかったから。つまり個人レベルの、体に染み込んだ事しか覚えてないのである。――例えば、輸入肉やアメリカンチェリーが安くなったら、釣られて国産牛と桜桃も安くなって、それまでハムと白菜のカレーというメニューにしていた月末にブロッコリーと牛腿肉のカレーを作ったりした事、だがしばらくすると消費税が導入され、差益の余裕を見事にぴったりと吸い上げて行ってしまった事、また消費税の後、別にそれで牛肉の価格だけが元に戻ったわけではないから、カレーの中身は贅沢になったままであった、という事、そのかわりにどこかで何かが節約され、どこがどうというのではないが、生活がせこくなっていって、ライブハウスに行く回数が減ってしまったり、上等のノートを一冊ずつ買う、などというのを止めてしまった事。その間世間はバブルなどと言っていたらしいが、仕送り生活から筆で食べる暮らしに移行しただけの私には、海外旅行もブランド品もシティホテルも殆ど関係がなかった。円高の影響で好きなジャズミュージシャンがやたら来日するようになって、少し無理をすればスティーブ・ガッドやジャック・ディジョネットをライブハウスで聞く事が出来るようになったけれど、コンサートのチケットはしっかり値上がりしているし、パンフレットはやたら広告だらけなのに二千円になっていたり、そしてバブルのせいで家賃は上がり、いい部屋は学生専用になって部屋を出され、ボロボロになりながら次の住まいを、私は捜したのだ。

　バブル当時は、会社が寮にするためにワンルームマンションを借りたりしていたらしく、私が部屋を捜していても、法人契約のみ、という表示が多くて、それが、敵に見えたものだ。

そうだそう言えば、バブルが終わって今は不況なのだ。

そのせいで、……バブルの終わり頃に入った今の部屋の家賃が、夏に入る前に六千円も下がった。でも家賃が下がったその日から三箇月間、泥だらけで痩せこけた巨大なシルバータビーの雄猫が毎日私の部屋のドアの前を徘徊するようになった。なにしろその猫は体が大きいものだから一番安いビーフの猫缶を一度に三百グラム食べてしまった事もあって、その猫の飯代が丁度一箇月六千円かかるようになってしまった。猫は多分発情期が済んで自分の住処に帰ったのだろう、ふっといなくなってしまったのだが、そいつがいた三箇月の間その姿を見るたびに、使えるお金の額というのは結局一定なのだという変な法則を感じたりした。

そう、私はただ経済にほんろうされていただけなのである。そんな経済の話を私ごときにする、電話の相手は経済評論の権威なのか、それともその権威の書いた六百八十円の本を一冊読んだだけの人なのだろうか。――まあそう考える間も、相手の経済評論的言説というか「講義」は続いていた……。

――だから、七〇年代に石油ショックがあってね、それで、その後から次第に寂れて閑散としてね、バブルの時もずっと落ち込んだままで、ベッドタウンが、……不況でねえ、それでそこは高度経済成長の遺跡なんですよ、その景色がまた近未来みたいで面白いんですよ、……まさにブレードランナーの世界なんだなあ、荒廃した産業の夢の後の、そんな、何もかもが終わった後の景色を見に行くんです。

ああ、それでブレードランナーなのか、でも、――。

――え、景色って……。

――だから海芝浦。

急に言いたい事が盛り上がって来た。どういうわけだが私は不安で一杯になっているのだった。というか相手の経済話をまるで聞いてなかったくせに、いつの間にか海芝浦のイメージというより想像上の体感だけが、かたまり始めていた。すると記憶の中にでもその体感はあったのか。そしてそれに対する反発と、興味で私は――。

――ふーん、ふーん、ふーん、そうだったの、それで、ブレードランナー、でもね、私は海は見たいですけど、それでも駅の片側が海というのがちょっと怖いですねえ。なんだか体が半分だけ海に吸収されるようで、そんなところでバランスを取って立っていられるのでしょうかね。

体だけの恐怖、根拠のない恐怖が、理由もないままに切実に盛り上がっていた。すでに……頭の中では海芝浦行きの電車が半分崩れて糸を引いていた。その窓から納豆の豆のように乗客の半分が、ああああああ、と目の玉を寄せて海に帰りつつあった。彼らの多くは、頭の方からオウム貝とか三葉虫のような、古代の海の生物に変わり始めていた。……ところが、そんな状況の中、気が付くと相手は物凄く機嫌良く笑っているのだった。こいつには私の心が読めるのかもしれない。うっふっふっふっふう、と言っているその声がまさにオウム貝のようだし。

――うーん、それは誰しもそういう感覚はあるでしょうねえ。

なんで通じるのだ。

――ふーん、海に体を半分だけ持っていかれる。ふんふん。じゃあ、あなた海が怖いのなら、浅草の花やしきが面白いですよ。それなら花やしきに行った後で、競馬をして馬肉を齧《かじ》るのもいい。

えっ、花やしき、そこでまた一層混乱した。本当に面白がっているのだろうかと。そもそも、面白い、と言っておいてなぜ急に馬肉か、私は馬肉が嫌いだ。正直に言えば……。

――うーん、花やしきですか。でも、正直に言うとね、私は馬肉も駄目なんです。実は私は基本的に馬や鴨とは友達でして……それは偽善だというのは判っているんですけど、彼らを、食べません。

――え、なに。

――うまとかもを食べません。そして雀も。あ、別に雀を友達だとは思いません。でも雀はただ食べないだけなのです。だけどもしなにか食べるのでしたらケーキのバイキングにでも。

ところが一方、これは、まるっきり通じないのだ。

――なあに、馬と鴨、それから、雀を飼っているの。うーん、でもその駅は本当に面白いんですよ。それでどこのケーキのバイキングに行って来たんですか。それはまずいなあ。

これでもう相手への会話の通じ方が、まったく判らなくなってしまった。結果、頭の中にまだ残った単語は、写真、だけになってしまっていた。私は仕方なくそれについて喋ってみた。通じない分を、フレンドリーにして。

——あっ、そうだそうだ、忘れてた、それで、写真ですよねっ、確か、面白い写真だったよねっ、それなら近所にスーパーマーケットがありますのでね、そこの、スーパーマーケットの写真を撮って送りますよ。アメリカの夫婦がスーパーの写真を撮っていたもの。だからきっと珍しいんですよ。喜んで貰えるかな。

そう、写真、写真だった。でも少しも相手は、興味を、持たない。平気で言ってくる。

——……そんなもの、珍しくもなんともありませんよ。

むかっときた。

——違いますよっ。珍しいですよっ。

腹が立ったので反射的に大声を出したのだ。人がこんなにも気を使ってやってるのに。その上論理整合性などいつの話であろう。これは完全に夢の中の怒り方ではないかと思ったが止められない。妙に子供じみた喋りになってしまう。でもいいのだここでは私達のコミュニケーションは壊れている。それならただ、私は私の思いをぶちまけるだけだ。まるで、発狂した子供のように。そう、そうそうそう。

——だってね、だってね、珍しいですよっ、もしそれがハワイ、、ハワイのスーパーマーケットだったら珍しいでしょう。ゲータレードの紙パックがすごく大きかったり、アイスクリームでもバケツみたいなのに入っていて。そう、そこから見た日本ね、つまりっ、チョコレートもっ、前に、アメリカのチョコレートで、父が、アメリカのだと思ってたずっとアメリカの……。

ついに涙が出てきた。何事かと思った。が、同時に、そうだチョコレートだった、と頭がいきなりはっきりし始めていた。ただ、なんでチョコレートが出て来てそれで頭がはっきりするのかは判らないのだった。海芝浦とマグロ、そしてチョコレートとの間に、夢か無意識か妄想か知らぬがともかく、そのあたりのレベルでの神経系の絡み合ったような、体温のある繋がりが生じていた。それが、私を泣かせたり笑わせたりしているのだ。相手には無論まったく判らなかったのだろう。伝わった単語はなにしろ、最初の一語だけだ。

――行ったんですか、ハ、ハワイに。

違う。ハワイに行ってスーパーを見て来たのは、知人である。私ではない。なんで海の体感についてだけさっきは通じたんだろう。当惑しながら、せめて相手に調子を合わそうとする。が、そうすると話はますますずれてしまう。

――行きませんよ。修学旅行なんて修学旅行だけですよ。京都、奈良、後は受験旅行、ハワイには行ってません。でも、ハワイに行きたいなあ。

するとこちらの希望には一切取り合わず、相手はとても嬉しそうに言葉を返して来る。

――うーん、旅行に行きたいのね。いいなあ、そうだそうだ、イランに行ってらっしゃい。自分の費用でね。そうでなければ吊り橋のあるような山の中で、それなら日本でいい。沢野さんのイメージだとそうなります。

なるほど、これは悪意なのだ。別に一言も「悪意です」とは言っていないけれど。でも話は通じなくとも、どういう性格のやつかはついに判ってきた。調子なんか合わせてやらなければ良かったのだ。私はぼそぼそとした声でやっと本物の自己主張をした。

――駄目です。そういうの。もっと楽で楽しくてなんか食べて帰れるところがいい。それにイランのホテルに行ったら政治的アイデンティティーを問われるのじゃない。

――なんですって、え、まったく、なにを言ってるんだ。

なぜか、相手は怒ったらしい。まずいことに、私はまた急いで迎合してしまう。こういうのはまさに、癖のものなのだ。

――ともかく、行きますよ。行きますよ。どこかですよね。

そんな迎合の仕方をしているとしまいに破滅してしまうと心理学の本にも人生論にも書いてあった事を思い出したが、眠いのでうまくモードを切り替えられないのだ。が、こちらの迎合に気付いたせいか相手は歩み寄った。まったく感情でしか「交流」してない。まあでも相手は、比較的楽な事を提案して来たのだ。イランよりは。

――そうですか。いいですねえ。どこかに行って来て……例えばジュラシックパークを見にいくとか。

——あっ、……本物の恐竜なら見たいんだけど。

拒否するつもりで、そんな有り得ない事を言ってしまってからそれがまたさらなる迎合であるという事に自分で気付いた。つまりは、相手がどんどんと優しい声になったせいで。

——ああ……そう、本物ね、本物といえばね、本物の恐竜もいいですけども……そうだ本物の海も見たいでしょう。恐竜はつくりものでも、海は、本物です。

そうか、結局、恐竜、はエサだったのだ。偽物はいや、と私に言わせるための。

——……イラッシャイヨ……。

逆らおうとはしたのだ。でも、その時、マグロの声がした。それが限りなく私を肯定的にさせた。そもそもいるはずのない、「本物」の恐竜を見たい、と私はいったのだ。いるはずもないのに、イラッシャイヨ、だ。あっというまに話が収束して行く予感。数学の時間に習った極限値の式が、細かい文字まで完璧に頭に浮かんで来た。深い哀しみが襲って来て、おうむ返しに言う。

——だったら、海に行きます。

——その駅にね、ね。

——はい。その駅です。

そう言って私は電話を切った。これでもう極限値の式から、話は極限そのものに到達してしまったのだ。

自分では形だけ迎合しながら、電話の相手を無視している積もりだった。が、気が付くと結局海芝浦に行く事だけが残ってしまっていた。いや、そういう読み自体が実は私のひとり芝居かもしれなかった。だって、なんだか知らないけれど「呼ばれている」だなんて。

　頭を抱えていると、三分後にまた電話が掛かって来た。すぐに掛け直した電話ででも相手は三秒、黙るやつであった。話題は当然また別の方向にずれてしまっていた。

――ええとね、……ハワイはともかく、沖縄会館行きませんか。

既に自己放棄してしまった私は従順に喋った。

――え、沖縄の海岸に行けるんですか。でも今だと暑いから。

相手もさも従順そうに受け答えた。

――だから、沖縄会館ですよ。気温は同じなんです。大丈夫ですよ。それで鶴見って駅を知ってますよね。

――知りません。まったく。ぜんぜん知らないっ。

いくら否定を重ねても、従順さは、変わらない……。

――あのね、それは目的地の途中にありますから、そこで、ああしてこうして、それから中野ブロードウェイの地下なんかだと、マグロの目玉が一個から売っていますから、一番近未来っぽい駅で降りるんです。そこのイリフネ公園を横切ってね、高架下をくぐると沖縄会館がある。

従順でいたところで、話は通じない。

――それ、沖縄の海岸って空港の近くなんですか。

――え、だから成田じゃないって、港の側だってば。

判らん、でも電車に乗って、沖縄に行け、と命ぜられたらしい。プラットホームの側から海底電車でも出ているのか、虚しい、けど一応。わーい沖縄だい。という……喜びの演技をしようとしているうち、急に、沖縄がオキナワに変換されていた。知らないところで、私の意識がコントロール出来ぬ底の方で。

オキナワヘンカン。頭に浮かぶのは教科書の写真、アンダーラインだらけの日本史の文章がぞろぞろ出てくる。そこでまた沖縄変換はオキナワ返還に変わっており、するとハワイと沖縄を並べた共通項まで、観光から戦争に変わっていた。

――あのっ、すいません、つまり海芝浦と沖縄とハワイの関係なんですけどー、ええとええと、え、え、と……。

なにか聞こうとしている内に電話は切れてしまった。

切れてしまってから困り果てた。どこにも行きたくないのは確かである。が、マグロの目玉というフレーズとあの、イラッシャイヨ、が大変気になる。その上に本物の海は嫌だが夢の海なら見たい。あのマグロにもう一度ちゃんと会って、一体自分の心に何が起こったのかを確かめてみたい。だがそうしようとすると、恐ろしい事に外出をしなくてはならないのだった。

電話は夢とも現《うつつ》とも結局判らない。が、ともかく変な駅に出掛けるしかなかった。混線にしろ、私はマグロの声を聞いたのである。次の日、私は海芝浦に向かった。

……出発からしてなかなか困難だったけれど。

風呂のあるマンションに食料を買い溜め、部屋の中でワープロを打って暮らしていて、気が付くと二週間外に出てない。外に出るとまず皮膚に外光が染みてぴりぴりする。

……部屋から駅までの一分程の一本道をとろとろと歩く。いくら外出の機会が少ないといっても、さすがにそこは慣れ過ぎて殆ど歩いているという感覚さえなくなっているはずの道だ。ところがなぜだか最初に踏み出した方の足の爪先がそのまま、プラットホームの海まで一本の糸で繋がれているという感じがする。その一方、そうだ出たついでにチョコレートをと、普段の用事をも思い出した。

踏切の手前で私は右折して駅から離れていた。二十歩程歩いていつものようにマーケットに入った。どこへも行かぬ時でも隣のコンビニとそこへは通わざるを得ない。

入り口を入って中央のレジの向かいの、三段になった棚にチョコレートのコーナーがある。ハーシーのエクストラ・クリーミー・アーモンドがずっと切れている。てんこ盛りのラージ・アーモンドとミルク・チョコレートの間で、棚のその部分だけがいつも真空である。この年になってどうしてあんなものに凝ってしまったのか。——外国のチョコレートはきつくてしつこい。芯が冷たい。ずっと忘れていたのにそれを最近、また食べるようになってしまっていた。入っていれば買いたい。マグロとの恋愛とその事は関係があるのか。だってどっちも、「凝って」いるものだ。

都立家政の駅でとりあえず東京までの切符を買う。朝の十時台、眠い。いきなり空白、起きるとどこかの駅、いつ電車に乗った。

改札口脇の花屋を振り返った記憶はある。何の花があったかは覚えてない。がくんと頭をゆらしてまた目を覚ますと、今度は、新井薬師前だ。凝固したような状態で高田馬場へ着いた。このまま寝ていられるのだったら、命をやる、という考えに囚われていた……。

馬場まではともかく慣れているので、半分眠ったままでも行けるのであった。が、そこでJRに乗り込み新宿で降りるつもりでいて、起きると代々木ヨヨギーなどと聞こえてくる。ぼんやりした頭で鶴見へ行く道を地図で確かめてみる。東京の線路の図だけはいつもポケットに入っている。最初の計画では高田馬場で一旦降りて、芳林堂の地下のどんぶり亭で、五百九十円のタコノカラアゲウドンを食べる等思っていたのだが、そう言えば東京までの切符を買っているのだから、馬場で降りる事は出来ないのだ。一旦降ります、と言えば、通してくれるだろうが、今の、ひきこもった、半分眠った頭でそれを駅員に告げる事はかなり困難である。新幹線で名古屋までの通し乗車券を買って、土産物を買うために大丸へ出るというのは、昔よくしたが。

代々木から再び新宿に戻る。路線図を見れば、乗り換えせず品川まで行くという手も、あるように見える。が、未だに上京感覚を引きずっている私はとてもそんな事は出来ないのだ。ともかく東京へ出る。それも、JRで東京、といったらもう中央線だ。私のような上京者には、中央線が日本を統御しているという気がするから。初めて上京した時も中央線で、西へ西へと八王子まで進んだのだ。その時の車窓から景色やにぎわいが次第に引いていく感じ、目的地に近付くにつれ光にあくが抜けて、テレビの中の東京が関東の地元に変わっていく感じはよく覚えている。そうして八王子に住んでからも、新横浜経由で三重に帰る方が楽らしいと聞いても、かたくなに私は、東京—名古屋間の新幹線で帰った。——ともかく、中央線にいる。電車が動き始める。

……中央線進行方向右側の視界を、ライオンズ信濃町、セキスイのビル、三和銀行の壁が横切っていくのを見ているうち、駅ビルの壁越しの臭そうな空にも刺激されたのか、次第に、腹が減って来た……競技場と野球場、神田でゲームセンターの紫の壁。故郷の小学校の建物の何倍もある郵便局。壁が空を塞ぐ。東京近辺のビルが却って蟻塚か蜂の巣のように見えたりする。建物が大きすぎてガラス窓が針穴のようだし、妙な曲線を描いていたり、わざと増殖させたように嵩《かさ》張っていた。西新宿の方にもあんなのがあった。確か東京都庁だ。いつ行ったのだろうか。テレビに出て来たのを夢で見たのか。

新宿から東京、全東京はたった十五分だ。後は単なる地元としての東京。東京人が本物の東京というやつ。電車から眺めて、私はそう思う。そして、——。

いつしか体は京浜東北線に向かうために、新幹線乗り場の見えるホームをとろとろ歩いていた。東京駅に出たのは二年振りだ。二年帰郷せず親にも会っていない。東北新幹線が東京乗り入れになって、それで東京駅がやたら混雑するようになったというのは、テレビで見たのだったか人に聞いたものか。確かに、人が増えている。が、二年来てない場所の込み方や混雑が、変容してしまったなどと断定できるものか。人が通って行く。ぽつぽつとではなく、ノイズのように。それは全身にマークのような同じ模様の入った、いくつにも剝がれた影のような大群。ひとつひとつの顔や癖はもうチェック出来ない……こんなところで家族に会っても、誰が誰だか判らないのではないかとさえ、思えて来る。

駅の内装はやたらベニヤ板で囲われている。東京駅全体がベニヤ板製になってしまったと言われても信じてしまいそうだ。どういうわけだか、ベニヤ板の上にまるごと一個のチョコパフェがカップの紙容器ごと、叩き付けられている。京浜東北線のホームに立って、向かいの緑と白の新幹線を眺めている。最近は新幹線もベニヤ板でつくるようになったらしい。私の父は私の子供の頃、工作はブリキとカマボコの板があったらなんでも作れるからね、と教えてくれたものだ。父がまだそんなに忙しくなくて、赤ん坊だった妹を風呂に入れるために帰宅出来た時代。私は、多分三歳くらいだった。

都立家政の駅は電車とホームの間がめちゃめちゃ開いていて結構怖い。京浜東北線のそれもまたひどく開いている。

……ホームに入って来た青い電車に驚く。ガラス窓が引っ込んでいて分厚いのだ。東京から先は急にこんなになるのだ、と一瞬とんでもない連想をする。が、入ってきた山手線の電車を見ると、やはり窓が厚くて引っ込んでいるのだった。東京から鶴見まではきっと電車に向かって、鉄砲の弾か何かが飛んで来るのだと勝手に決め込む。まるで装甲車のようだ。気のせいだというのか。

青い電車に乗った。床の灰色と車体の青が妙にマッチしている。汚れ具合が同じだからかそれとも私の眼鏡があまりにも曇っていて、なんでもマッチしているように見えているのか。さあここから鶴見までたった二十五分だ。案外近いなー、と安心し始めて無論、それは、誤解だったけど――でもその時点で、私は鶴見というのが電話で告げられた、自分の、目的の駅だと思い込んでしまっていた。電車を乗り換えた時に海芝浦という名前を、どこかに落っことして来たのだった。上京してから十年になるが東京の先で、イメージが湧くのは品川くらいだった。ましてやそこから先のベッドタウンなんて。

それにしてもベッドタウンというのも変な言葉だ。

鶴見も川崎も一度も行った事がない。或いは眠っている間に知らず知らずの内に、電車で通過したりしているかもしれないが記憶にない。川崎の夢だって見た事がない。何で見ないのか。そんなこと知らない。

川崎にはクラブチッタがある。ドクトル梅津や渋さ知らズなどの出演するライブハウスらしい。その時は聴きに行こうかとも思ったのだが、あまりにイメージの湧かない町なので行かなかった。新幹線で通っているかもしれないそのあたりの、沿線の眺めを何も知らなかった。速すぎて見られないのか、それともその時いつも眠っているのか、ただ電話の通りにたちまちブレードランナー的な景色になるのだと思っていた。が、これがならないのだ。まあ思い違いしてるのだから、当然だが。

東京を過ぎると視界の中に細い運河が現れて来る。

地元としての東京。ビルの間から猫の尻尾の裏側のようなくすんだアパートが覗く。銀行や工場の窓硝子が目立つというのは、建物が小さいからに過ぎないのだ。田町。品川。駅のすぐ裏に広いお墓。品川はイナカだと品川にもう十年住んでいて十八歳の猫を飼っている原宿少女のプロポーションをした女の詩人が、目をきらきらさせて、言っていたはず……ここは「東京」の向こう、いや、誰が「東京」の向こうと決めたのだろう。おまえだよおまえ、だって。そんなつもりはないけど、でもくすんだ家がまた増え、川と道に出くわすたび、開ける視界の建物が低くなっていく。「東京から遠くなる」。CMに出て来るありとあらゆる企業の、大抵は凹凸の異様に少ないビルがまず現れ、また少し行くと、今度は同じマークの入った工場や倉庫が現れて来る。大井町で青と銀の電車に擦れ違った。それから、東芝東京体育館……低層アパートと高層団地との繰り返しに、アクセントは工場の名前と看板だけ。

……ガレ大森工場、アサヒ硝子、アサヒ段ボール、くすんだ巨大なクレーン、日本エレクトロン、ステンレス加工、大森クロムメッキ、ぴかぴかの壁にパイオニアのマーク。東京駅近くのどこかにもきっとパイオニアと書かれた建物があって、その壁はこんなにぴかぴかではなくとも、建物はもっと大きいのだろう。

メリーのチョコレート工場……デパートのチョコレート売り場の白やピンクや茶の色彩と、指で挟んだ時のアソートチョコレートの軽さに、その乾いた巨大な建物を重ねると動揺する。そこで生産されているチョコレートの個数と重みを、体で感じようとしても、背中のあたりを滝のように丸まった銀紙が雪崩落ちるだけで、その銀紙の中のチョコレートの、端の薄く白くなったところを、いちいち全部想像する事はとても出来ない……蒲田に入って銀行の硝子がややくすみ始める。ベトナム料理、卵カルシウム五十の表示、PALIO、というのは一体何だろうか。ヨネヤマの管理、ヨネヤマとは何か、管理されるものは建物か人か。団地ばっかり続くので団地疲れがして来る。そんな疲れ方があるのかどうか判らないが。

退屈しのぎのように車掌が歩いて来る。そんな失礼な言い方はないでしょう。仕事中なんだから。私は東京駅から先の切符を急いで買い足す。

ブレードランナーの景色なんかないから、車内に目をやる。ひとつの車両の二十人程の人物の中の、三人がともかく目立っている。ひとりは虹色のゴム草履を履いて、髪と上着だけ志茂田景樹風にしたおばあさんだった。あとのふたりは非常にプロポーションのいい、顔はまったく化粧で隠れてしまっている若い女性達だ。膝が出る位の丈の黒いワンピースを着ているが喪服ではないらしく、大きな鋲を打ったヒールの太い、七〇年代のような黒靴を履いている。ストッキングも黒。芸能人かと思うくらい足が長いし目立つ。そのくせ、顔立ちは地味だ。いや、頬や鼻筋はぴかぴかしているのだが、視線が死んでいる。化粧で隠れた顔の輪郭はアボリジニーの精霊の仮面のように、頬と頬骨が盛り上がっている。異様に低い声でずっと、私が電車に乗った時から喋り続けていた。その声がだんだん高くなっていく。意味不明のまま。

——りてね。

——してね。

——りてね。

——してにね。

そんな事をいいながらふたりで息をこらしつつも、盛り上がり閉鎖的な世界を作っているのだった。彼女達は——電車の五人分くらいのシートをふたりで斜めに腰掛けて占領し、斜めに向かい合って座る事で、お互いの間に出来た三角のスペースの上に、黒の大きなバッグをふたつ並べていた。薄いビニールのバッグには中身が殆どなく、柔らかい素材は皺だらけになって置かれたまま、山や川や丘を思わせる凹凸を作っていた。りてね、してね、と発音される単語はその前の言葉を息の音だけで伝え合っているらしく、日本語としか思えない発声である。その上ふたりは日本の踊りの型を復習《さら》うように、指先や足の踏み変えだけでお互いに合図をしあっていた。またふたりで同時に両手を斜め右方向、目の高さまで指先を揃えて上げ、人差し指だけ撥ね上げたり、目の高さの手を平手打ちするように構えたりもした。そして、意味不明の言葉が、ただ、増えて行く。

——りてにきういしてしてに。あっ、ふきよ、えきすぷれす。

——にねりしてに。にねりしてに。あっ、ちょっこれと、るけるとれん。

——きりういしてにて。しょわ、えんぺれん。

手振りがついて来る。足も踏み変えている。といっても足は、少しも音を立てずにである。電車の床からずっと一センチ位靴底を浮かせたままで、爪先の向きを変えたり足を組み替えたりしているだけなのだから。ジェーン・カンピオンの「エンジェル・アット・マイ・テーブル」にギリシャ人の黒衣の女の人達が出てきて、喋っている時の動作だけで笑えてしまうというのがあった。映画の衣装は手も足も隠していてただ可笑しいだけだったが、目の前のそれは妙に怖かった。

……最後に、彼女達は平手打ちのポーズのまま、立ち上がった、それからバッグを出したので劇団のチラシか新興宗教のパンフレットでも配るのかと思うと、中からファミリーマートでも売っている無印良品の砂糖味ジャンボコーンの小さな袋が出てきて、その袋とバッグとを別々にして持つと降りて行った。そんな彼女達の降りた駅、という意識だけでホームを見ると、——。

……助産院○歳児預かりの看板。カラスが鳴いている。——カミン、というのがここの駅ビルの名前らしい。鶴見カミン、仮眠という文字をついあててしまう。なんだって、ツルミだって、——。

そうだ降りなくては。

寝惚けていて、しかも駅名を忘れたままそこが海芝浦だと思い込んでいる。横浜銀行の向こうが海なのだろうかと。が、どうもおかしい。駅の構内に出ると、ガラス越しに見えるのは妙に懐かしい町だ。ごちゃごちゃしたビルの低さ。賑やかそうなのに、光が薄いような煙った空気も……、海に面したプラットホームのはずがなんでこんなに広い明るい、何本も線路の通っている駅にいるんだろう。見覚えがあった。無論、錯覚の。でも思い込んだ。ここは、四日市じゃないか。私の生まれた町。

改札口まで歩いていき、おそるおそる尋ねた。片側が海の駅、などそもそも夢の中の話かもしれないのだし。それに、本当にここは鶴見なのか。どう見ても私の記憶の、四日市なのに。

――すみません、ええと、ここは鶴見、でしたですね。

――はい、鶴見ですが。

――あのう確か、駅の片側が海になっている駅ですよね。

――ああ、海芝浦。

――あっ。

――それは鶴見線、このホームから出てます。でも、今日は後二時間は来ないよ。

――えっ。

――というのはね、今日は東芝が休みだから。平日だとね、いいんだけれどもね。

――……そうですか。それは失礼しました。どうも、ありがとう。

何ということだ。ホームの片側が海などという目茶苦茶なセンテンスを発声して、一発で会話が通じている。ともかく海芝浦までの切符を買う。時刻表を見る。確かに今度の電車は二時間後だ。

駅の外に出てみる。ネクタイが風に翻っている。パチンコ屋が大きい。ここが名古屋の今池でも、兵庫県宝塚市でも別にどうという事はない程の平均的風景。でも、やはり次第に四日市にいるような気がして来た。でもまあ、よく御当地のデパートの前でやっている四日市万古焼きの実演はない。ただ、似た感じの空気につかっていると、いろいろ、思い出す。——私は伊勢の出身だが四日市で生まれたのだ。鯨の獲れる漁港からコンビナートの町になった、海のすぐ側で母親の体から出た。その時、もう全身が紫色だった。生まれて一昼夜仮死状態のまま硬直していて、医者が駄目だと思った時に産声を上げた。鉗子《かんし》で引っ張り出されたために右目の上が腫れ上がり、それはお七夜になっても治らなかった。今でも目尻に傷があり、後頭部にハゲがある。

体がそのあたりから気温を感じなくなって行ったらしい。もう今日はここで帰ろう、と思っている内に、なぜだか、本当になぜだかうっかりと鶴見線の自動改札に切符を持って入ってしまったのだ。電車は二時間後だ。ホームに立ち、自分のした馬鹿げた行いについて、出来るだけ考えないようにあちこちを眺めた。進行方向の両側の視界は開いていても、一部を駅の壁に囲まれているため、床も、そこだけは暗い色に見える。線路の向こうの景色はさっき眺めたのと同じ、レイクにアコムにメガネドラッグにパソコン教室。ああやっぱり四日市。さて、二時間どうする。私にはこういう失敗が多い。

ぼーっと、困っていると。サラリーマン風の賢そうなおやじ達が、どんどん改札を横切ってこちら側のホームに入って来た。東芝は休みのはずだったのに、二時間もあるのに、世間は不況のはずなのに彼らは異様に元気だ。夏なのにコート、それもバーバリーやアクアスキュータムではなく、国産の懐かしいやつじゃないか。エリートなんだろうか。「十七分ですか」、という声が聞こえる。その数はもう五百人には達していた。おやじの上におやじが肩車をして、まるでホラーコミックで読んだ兵隊さんの幽霊の行進みたいだ。ひとり分のスペースに彼らはなぜか五人で重なっている。その上に彼らの会話にはリストラという言葉がどこにも出て来ない。

ホームの自動販売機で熱い缶コーヒーを買う。さっきまで出ていた汗が引いていてむしろ寒い位だ。切符を無駄にしてでも外に出たいと思った。——鶴見から百五十円と印刷をされた、穴の開いた切符を自動改札に差し込んで飛び上がった。激しくブザーがなる。入場券ではないが、一旦入ったホームからそのまま出るのだから、別にキセルではないだろうに拒否してくる。そこで反対側のホームへの地下通路を潜る。そちらに出口がないかと、動物のように行動したのだった。だけど地下通路の内側は緑色に塗られていて、トイレの臭いがして、道は行き止まり。もとのホームに戻ると貧血したように目の中で白い光が点滅する。

だって、電車が来た気配はまったくなかったのに、さっきまでざわざわ喋っていたサラリーマンの姿が全員消えてしまっていたから。もしや、全員戻ったのかと慌ててもう一度切符を突っ込む。が……またブザーだ。それから漸く、京浜東北線と共通になっている改札口の存在に気付いたのだ。

　京浜東北線と鶴見線の、それぞれの自動改札機を繋いで、同じ室の隣同士の面に別々の窓口がある。が、京浜側の窓口にも人影はない。ブザーを押して来て貰えばいいのだろうが、さっきの駅員が来たら、と想像するとなぜか怖い。二時間来ないと言われた電車のホームに勝手に入ってしまって、そこから出たいなどとはとても言えない。だからといって二時間もここにいたくはない。大体五百人のおやじはどこに消えた。窓口から洪水のように出て行ったというのか。いっそホラーコミックに投稿してやろうか。だって「本当の怪現象だ」、とつい言いたくなるから。そうしたら怒った大槻教授が、「こんなの怪奇現象じゃありませんよ。プラズマ現象のせいですねえ」と、原因を解明してくれるかもしれないから。

　来た電車に乗って次の駅で降りて、またここに戻ろう、そして海芝浦には一生行かない、と誓おうとした時、三両になった黄色い電車が、がくんがくんと形容したいぎごちなさで、ホームに入って来た。結局、私は反射で乗っていた。

　無論その電車は、ずれてしまうのだ。

浅野というところまでは海芝浦と同じコースである。が、そこから扇町へとそれて行くのだった。その上——さっき乗った京浜東北線の電車とホームの間隔が広いとか言っていたら、鶴見のそれは目が眩む程開いていて泣きそうに怖い。都立家政のなんか甘いものであった。

電車の中には本物の賢そうなおやじ達がいたが、見ないふりをした。エリートそうな彼らの体をちょっと引っ張ったら、体温があるまま、ぬめーっと糸を引いて窓から海に溢れてしまうかもしれないのだった。何も信じない。見たくない。もうクレーンとマンションにも飽きてしまった。ただ、鶴見線のそれは根性が入っていると思う。何か風景が徹底しているのである。

……カモメ公害注意の表示がある国道駅、日本鋼管工事倉庫、工事倉庫とは何か、国旗が翻る。ここでは工場だってやけに大きく、小型船の速度も上がっている。四日市で生まれて、伊勢で育って、海は近すぎて却ってあまり行かなかった。何年海を見ていないだろう。――でも、水辺は好きで嬉しいはずなのに、ここではどうもあまり嬉しい景色になって来ない。例えば帰郷の新幹線で熱海のあたりを通る時とどうも違う。――鶴見小野に着く。駅前にはただ木が生えているだけ。巨大な工場の敷地の一部にテニスコートがある。アサヒ硝子京浜工場、一体アサヒ硝子を何回見ただろうか。運河の向こうには石油タンクが並んでいる。ブレードランナーというのはあの景色の事か。だけどあれはブレードランナーではなく、コンビナートだ。私のよく知っている、四日市にもある。ふん、どうせコミュニケーションなんてどこにも、ない。あの電話の相手はコンビナートの事とかをコンビナートだと思っていたのかもしれなかったし。

……景色はますます四日市に近付いて来る。が、この既視感はなんだ。幼児の頃入り浸った母の実家で、私は石油タンクなど見た記憶はない。家はコンビナートに歩いていける距離だったが、細い運河に掛かる橋を渡った覚えはない。あの運河で釣をして釣った臭い魚を、食べずに捨てていた人の事は覚えているのに。でも、判る、判る。見てないのに通ずる。空気のせいなのか。思い出してしまう。

子供の頃、祖母の家に泊まるのは実は苦手だった。が、いつも両親と一緒に行き、置いていかれた。親の事情で預けられたのでは決してなく、祖母が私を偏愛して、無理に留め置いたせいであった。泊まるとか泊まらないとかの意志もはっきりしない、三、四歳の頃、気が付くと私は泊まるという約束をさせられていた。

昔、ある時……夕方賑やかでみんなはしゃいでいて、庭に向かう窓が開け放してあって、部屋の黄色い光が植木にふりかかっている。父と母が玄関のところでコートを着て、赤の他人のような顔になって、呼び鈴のあるガラス戸の前に立ち挨拶をしている。私は泊まる事にいつのまにか決まっているので、なぜかどうしても帰ると言えない。ただ彼らが車に乗って去ってしまってから、急に、焦り始めるのだ。電車で、帰る、でんしゃで、かえる、としきりに言う。だが、誰も絶対まともにはとってくれない。祖母がまさにしゃしゃり出るという感じで、私の前に立つ。でんしゃ、もうあかん、電車は寝てしもうた、でんしゃ、こーんな顔して眠ってるわ、大喜びでそういうとよだれを垂らして寝ている人の顔を作りながらくー、くー、と寝息を立てて見せる。そうしながら顔筋は笑いをこらえ過ぎて痙攣している。ナニモオカシクナイ、ナニモオカシクナカッタ、でもみんな笑っているという事で私は怒ったり泣いたり出来なくなる。——だけど、なぜ景色に、見覚えが。

……教科書であった。

社会の教科書の中のコンビナートの写真が、記憶に紛れ込んで幼時の過去と一体化しているのだった。海芝浦という駅の名を知らなくとも、またいくら私が世間から隔絶した人間であっても、高度成長期の鶴見と川崎の意義を知らなくとも、そこからコンビナートへの既視感を持つ事は不可能ではない。小学校の教科書も蘇るものなのだ。鉄道唱歌とか教育勅語も、きっとこんな感じで出てくるのだろう。日本の産業、コンビナートの写真……四日市の祖母の家の、そこから先はコンビナートに向かうという運河に掛かった橋、その橋のたもとに一軒の雑貨屋があった。三、四歳の私はそこの国産チョコレートが好きだったらしい。店の前にはエスキモーかどこかのなのだと思うが、看板代わりに、木で作った厚みのある白熊の人形が置かれていた。それは大人の背丈よりずっと高かったように記憶している。

当時の私はあまりにもセコい子供だったらしい。祖母にそのチョコレートをねだる時に、素直にチョコレートを買ってちょうだい、と言えなかったのだという。チョコレートが欲しい時私はいつも、少し不機嫌な顔付きになり、祖母の背後から割烹着《かっぽうぎ》を引っ張り、「はしのそばのくまをみにゆきましょうよ」と対等な言い方で誘ったのだった。自分では一切記憶にない。が、その話を祖母は死ぬまでことある毎に繰り返したものだ。

日本のその時代の小さな贅沢だったチョコレートだ。割れる音が綺麗で、舌に引っ掛からない「高級メーカー品」。薄いぱりぱりのチョコは森永のだったか、明治のだったか、その味を私は覚えていない。思い出そうとしても買った覚えのない、チューブ入りチョコの蓋のぎざぎざが浮かんで来るだけ。その上小学校になる頃には、モロゾフとかゴンチャロフという心ときめく外国のアソートチョコが浮上して来て、四日市の近鉄デパートでガラスケースの上の、リボンを掛けられたセロハン袋入りのを、買って貰う方がよくなってしまった。祖母は好きだったが、結構違和感もあった。ただ祖母といるといつも大切にされた。子供なのに祖母に美容院に連れて行かれ、白雪姫のようだと大人たちから言われて、化粧もして貰う。デパートでも祖母が買い物をするというと、外商の人が何人か後ろに付いて歩いて荷物を持ってくれた。いつだったたか、私がストッキング売り場の景品になっていた東郷青児の絵入りペンダントをじっと見ていると、よその売場からおとなの美しい男がすっと寄ってきてそれをふたつ取って、手にのせてくれた。私が可愛いからくれるのではない、その時にはもうはっきりとその事が判っていた。あの頃、ストッキングはデパートに行く時等にはくものだった。またあの頃、都ホテルでチキンライスを取って貰って、落としたスプーンを拾わぬように躾される、そんな待遇と自分自身の、性格や容貌がなんとなくそぐわないような気がして仕方なかった。家に戻ればどうせ自分で箸を拾えと言って叱られるのだ。そして、祖父の帰りはいつも遅かった。

……男はみんな留守で祖母はホウキで、家の中の砂を何回もはいて掃除をした。掃除機はあったが変な臭いで変な音の重い機械だった。祖父はあまりにも忙しくて、孫が来ていても帰れなかった。たまに八時に帰ると、私の顔を見て頰骨だけで笑い、着替えをしてしまうと上座に座って、下を向いて夕食をすませるのだ。それから仕事のための読書をしなくてはと書斎に入って行った。――橋のたもとの店で彼はアイスクリームを買って帰った。それはおとなが食べるような四角い箱の大きなので、チョコレートとバニラがチェックの模様を形造っていた。チェスの馬の首の絵が入ったその箱を持たされると、私はいつも祖父を変わった人だと思った。電車の中にいた賢そうなおやじたちよりも、祖父はもっと忙しかったのかもしれなかった。祖父が早くに癌で死んだ時、中学生の私は葬式の当日に激しく泣いたものの、結局、人が死ぬという実感をきちんと、摑み取る事さえ出来なかった。

記憶にないはずの、おとなになって四日市に向かう電車の窓から遠目に見ただけの、石油タンクと煙突、臭いや空気のせいではなく、それらの気配というものを、私はあの木造家屋の中で感知していたのか。フードリの灯だけは憶えているけれど。

武蔵白石という駅で何の理由もなくふと降りてみた。そこからまた乗り換えで大川駅に行く電車が出ているのだという。用の無い駅、本当に何の理由もなく降りてしまった。車内の路線図を見て海芝浦程ではないが、海に近そうだと判断したのか。あるいはマグロの気配でも感じたのか、自分でも判らない。無人駅のホームの壁には広告の看板を剝がした跡があるだけ。券をお入れ下さい、という表示の箱に切符を落とすと、底に当たる音。

……自動販売機が並んでいる。私の田舎の無人駅には、こんなにいくつもの自動販売機は並んでいなかった。あってもひとつだ。武蔵白石、だって、駅の向かいの道一面に富士電機の建物、武蔵電機ではない。そして塀の生け垣の木だけが妙に自己主張して来る。建物は黙っている。どこまで行ってもずっと富士電機だ。私の使っているオアシスは富士電機で作っているものなんだろうかとふっとかかわりを見出し、あ、オアシスは富士通だと、すぐ思い直した。既に、富士とか西部とか日本とかいう言葉は全部ごちゃごちゃになってしまってわけが判らない。日本中には富士という言葉の付く会社が一万社以上あると思う。スナック富士（有）というのも含めて……。

今からどうするの。コンビナートはすぐそこ、大川行き電車は、一時間待ち。大川方向の線路には焦げ茶色のブリキの案山子《かかし》みたいな、傷だらけの車両が一両だけ止まっていた。その線路のど真ん中に降りた人影に私は気が付く。昔の学生みたいな恰好をした中年の男の人が、大切そうに電車の写真を写している。それは玩具のような電車とも言えるし、鬼太郎の幽霊電車みたいとも言える。電車というよりは乗合馬車のようとも。が、それでもマニアが写真を撮っているというだけですぐ理解の範囲に収まってしまう。うむ、鉄道のね、好きな人がね、でも一方、自分の移動の方はというと、ああもうさっきからモノゴトが滑ってばっかりいるじゃないかイツダッテワタシハ景色ヲ見ル……丈高く草の生えた線路の向こうに赤白の煙突、真っ白な煙、緑の金網の中にあまりにも錆びた巨大な石油タンク。錆の上にこびりついている時間が目の中でぞろぞろ動くのが怖くなって、ホームに戻ると、――。

ベンチの上に靴のまま小さい男の子がふたり立ち竦《すく》んでいる。異様に頑なな姿勢をして、目付きだけはこちらに向けて来るのだった。兄弟としか思えないのに顔は似ていない。年上の子は黄色と黒のシャツに樺色のショートパンツ、隙間だらけの歯が唇から出ている。前髪はばさばさで絶壁頭である。首筋に骨が出るくらい痩せて顔色が悪い。年下の子供は目も顔も丸くまつげが濃い。横から見ると、さいづち頭だ。ブルーのチェックのシャツに薄い青の、オーバーオール。

子供の歳は上が五歳くらいで下が三歳くらいと見当を付ける。私が同じベンチに腰掛けるとベンチに立ったままで少しずつ寄って来た。視線を向けて笑い掛けると俯いてしまう。無視すると五歳が三歳の体を喧嘩するようにずーっと押して来て、ついにはこちらの体にくっつけてしまう。三歳と顔が合うととろんとした目で、鼻汁をたらした跡のある鼻の下を伸ばして笑う。おでこが大きすぎるが妙に可愛い。五歳は前方を睨みながらまた弟を押す。こちらがこんにちは、というと弟を置き去りにしてベンチから飛び下り、ホームの端に向かって歩き始める……一方弟は押されてくっついたまま人形のように私に凭《もた》れている。私は自分の猫の事を思い出していつも持っている、人に撮って貰った写真を取り出して眺める。弟がまたしても鼻汁の出てきた鼻の下を必死でうごめかせながらその写真を覗き込んでいるのを、わざと無視する。りん、と音がして私の足に機能性飲料の瓶がぶつかる。兄が蹴ったものだ。拾ってベンチの下に立てて置くと、兄も寄って来る。話し掛けてしまった。

――どこおりるの。

――つぎ。

――おうちのひとは。

――みんな、べつに。

――でんしゃ、すきですか。

――うん、どこも、おなじ。

――だいじょうぶですか。

――そりゃー、じょぶじょうぶですよ。

聞く事がなくなってしまったので危ない事をしないように、横目で監視しながら電車を待つ。すると五分もたたないのに、一時間待ったと子供はいい始めた。

――あといちじかんっ、いちじかんにーい、いっぷん、いちびょうじかんの、いちじかんにじかん。

そこで、いまなんじですか、と初めて私に気が付いたように兄が聞きに来たので、時計を見せて教える。私は小二になっても時計が読めなかった。それよりはずっと小さく見える子にはたして時間の感覚があるのかどうか心許ないけど。いや、別に子供の事だからではなく、他人の事だから判らないのだけれど。なんだか儀式が終ったように兄は離れて行く。

——なんじなんぷんぷん、なんぷんぷんぷんぷん。

ホームの上で兄はぴょんぴょん飛んでいる。弟は私に体をくっつけたままおならをしている。私にくっついている間に弟の体温はどんどん高くなって、ついにはお湯の入ったどんぶりのようになってしまう。それが気持ちいい程、気温が狂っている。景色も光も激しい夏だというのに、自分だけレールに落ちる影になってしまったように、夏を感じない……ホームに人が溜まり始めたので、兄はひとりひとりに寄って行って時間を聞く。私にははにかんだのに他の人には警戒心がないとみえる。

——いちじかんの、ななじかんの、ひゃっぷんぷんぷんぷん。

うちの猫ではない、よその子供は、私の膝の上によだれを垂らして半分寝ている。が、電車が来ると兄が弟を起こしに来る。三両の電車だから車掌が来るのも早い。ふたりの子供はわざとのように私とは違う車両に入り、車掌の姿を認めるとなぜか緊張して後ろを向く。車掌はまったく彼らを無視して行く。無人駅から無人駅を乗ったり降りたりしして遊んでいるのだろうか。次の安善で彼らは降りようとする。子供がマグロの弟達のように思えて来てついて降りる。

そこの待ち時間はたったの二十分だ。駅の出口でまた箱に切符を捨てる。その音で一層寒気が強まっていく。頭の中でごうごう音が聞こえ始める。誰も通らない舗装道路。

……どこからか鉄の焦げる臭いが激しく流れて来る。それが幻の臭いかどうか、考える事も無意味に思えて来る。どの建物が何を意味するのかもう判らなくて、全ての広告が剝がされてしまった後の無人駅の壁の、ペンキで描いてある薄緑と黒の地図を眺める。大川の一部と安善の海側にただ何があるか、おおまかな線でしきって建物の名前だけを記してある図だ。美容院とか喫茶店とかせいぜい変電所とか、そんなものしか載っていなさそうな御近所の地図と同じ書き方で、まったく別の感触の文字がずらずら並んでいる。――大川鶴見火力発電所、日本硝子川崎工場、硝子、それは今のところアサヒと、ニッポン、アサヒビールはあるのにニッポンビールはないのか。ま、とりあえず、硝子。アサヒガラスってあったはずだよねここではないけれど。

判らない感触の言葉の中で、私は硝子という単語にまず縋ってみる。とりあえず硝子を作ってるところだけでも想像しようとする。一個のビー玉を頭の中に浮かべてみる。しかしたちまちそれはどろどろに溶けた硝子の海になり、溶岩のように伸びあがると今度は巨大な網に変わって、ガチガチに凍った。――エッソ、モービル、東京ガス鶴見工場、米軍NO・3、ゼネラル物産、米軍NO・6。子供はどこに消えた。

ホームのベンチに座ると、誰かが捨てて行ったらしい折れた広告紙が、真っ白な裏をさらしてそのベンチの上に載っかっていた。すると今度はそれが一冊の本に見えて仕方がなかった。その本の放つ銀色の光が、目の中に入って来て目が眩み始めた。眠ってしまうらしい。こんな所で。危ないじゃないか。

……夢の中で私は広告紙の方に手を延ばしていた。広告紙がどんどん膨れ上がって、本の形ばかりかその装丁や中の文字まで全部判った。最近流行っているらしい、細長い、ページ数の少ない、軽い本だ。白い艶の無い紙質の表紙で、中表紙が和紙のようなブルーグレー、文字は型押しした銀色で同じ色の模様があちこちに跳ねている。このデザイン物凄くありがちのパターンではないか、と思うと、次にはその題が目に入って来た。「のりだけの恋愛小説」と書かれている。恋愛のカップル成立がのりだけというのか、それとも性愛のシーンがのりだけというのか……いや、そんなものではなかった。日本語がどうものりだけになっているらしい。

……海んぬ浴槽なあせびのかたちむは広くつぶらやかなねり具合にあふれさぶりな、ひかり正純……。

……白くながめ板晴魔さす流れにらり、少年の乳房、わもはれりよ、マグロへの愁触……。

……あきなつきのとき輝めほしのづらベルの鳴り渡る透明な命、こにずさむベルの鳴り渡りにそよぐ波泥の波風の波光の波水の波波の音に彼は答える……。

意味なんかない。それなのにそこから会話に入るのだなと読む前に判る。

……波光に波騒ぎに波輝く、栞《しおり》やらり、脂月離れる、ありますか、ゆりにみのりますか……。

……いいえ、まみえぬばりのぼれば、梨の花の星わたるりげるに、るぇんげるねの明かり、いいえ、いいえ……。

……いいえ、そのかみには明かり、ぬててぱ……。

……ちぬのはらの、いいえ、その一千幾世、波光に、それも、それも、ぬててぱ……。

……ささがにのかにのはらのわたるかなしみのいいに、ああ、いいえ……。

……にみそみのかなべびに……。

……ゆぎなだらの酔う風に、……。

古典好きの人間が現代の感性で書いた恋愛小説という夢の設定が、頭の中にそのままなだれ込んで来るが、その恋に感情移入する事が出来ない。ただ恋愛ののりはちゃんととれる。そしてぬててぱ、というのは、どうせフランス語の影響だ。恋愛でフランスという自分の発想は、セコいと夢の中でも完全に判っている。マグロという文字が一度だけ出てきた事に関心が向くが、どうも自分のマグロとは違うような気がする。

　百ページの本は文字が少く、すぐに読み終わった。夢のカップルは和歌を詠みあって別れて行くらしい。——電車の音で起きる。無人駅の公衆電話のベルが鳴っている。それは絶対にマグロからだ。いつのまにか、出ないと決心してしまっていた。マグロとの恋と、このコンビナートは、どういうわけか一続きに繋がっていて、だけどそれは言葉にあらわせない。ただ心のうんと底の方で、そんな恋のからくりは判ってしまっている。出てはいけない。それがその恋を維持する方法なのだ。

　電話をそのままにして、来た電車に乗り込む。そうだ沖縄の海岸へ行くのだった。

目の前の電車が本当の電車か幽霊電車か、またその電車が自分を沖縄に連れて行ってくれるワープ電車で、そのままタイムトンネルの中に入ってしまうものか、そんな事ももう完全にどうでもよくなってしまっていた。ただ、いつのまにか私は浅野で降りてしまっていた。安善と海芝浦に別れて行く駅だ。ホームの前も後ろも右も左も、線路と鉄パイプと変圧器と高圧線で固められている。乗り換えのポイントで降りたと思えば不思議でもないが、その周囲もフードリと工場と石油タンクだ。どうやらこの世界の中心に来てしまったらしい。海の方向のクレーンと煙突、世界中が鉄の色と鉄に反射する光でぴかぴかして、どう繋がっているのかも判らない爆発物に満ち溢れている。そうだフードリだった。フードリという言葉が何語なのかも、語源も知らないで、私は使っていた。三歳か四歳でその語を覚えたのだ……あれはアブラを燃やしているフードリだよ。フードリはただ、廃油を燃やす煙突としか記憶していない。素人の使う辞書を引いたって載っていないし、もしかしたら方言だったのだろうか。

……夜空の煙突の上で炎が揺れ、黄と赤と緑の灯が点滅する。フードリ、そしてコークス。コークスという言葉は知っていてもコークスを見た事はまったくなかった。フードリは祖母の家から遠い、道筋も判らない夜の中にお化けのように、並んでいた。夜中じゅう、眠っている私の耳元で鳴っていたのは、その、フードリの燃える音だったのだろうか。祖母の横に敷いて貰った夏布団の中で、庭に面した磨り硝子越しに私はフードリを感じ、硝子越しにザクロの樹が揺れるのを見た。こんな上等の夏布団に子供寝かして、と誰か言った。私はタオルケットの方が良かったのに。フードリの音。

――……イラッシャイヨ……。

沖縄カイガンへの道筋が次第に、浮かび上がって来る。

……東京ガス（株）鶴見工場、コークス車、緊急時車両専用出入り口に付き、一般車の駐停車は御遠慮下さい、の表示。ヒダリヘマガリマスピーピーピーピー。既に、臭いの感覚まで失ってしまって、いやガソリンの排気やコールタールを燃やすような臭いは時々鼻に届くが、それが幼い頃のフードリの臭いと混じってしまうのである。こんな臭いの、灰色の朝に、スピッツの鳴く声で目を覚ました。スピッツの名前は確かカッシーと言った。カッシーは雌で、一度だけ子供を生んだ事があって、畳の上を走り回る数匹のスピッツの子供を見て、この世の中で一番可愛い生き物はスピッツの子供だと、その時思ったのだ。沖縄カイガン――そこに辿り着くには東京ガスの工場を左に見て、ゴム通り、という広い道路をまっすぐに歩いていく。それでいいはずだ。が、それでは、海から離れて行く。沖縄カイガンではなかったのか。

……発電技検鶴見試験センター、財団法人発電設備技術検査、入船公園、そうか、公園とも言った。公園の中に入らずわざと喧《やかま》しい道路沿いを歩いていく。もう、音も感じない。

一旦は疲れて公園に入ろうとした。その時に空を見上げたのだ。すると直径何メートルもあるマグロの目玉が空に浮かんでいた。かつて夢の中で見たマグロの目は、瞳孔が開いてはいたものの厚みのある、近眼に見える、丸いおっとりした二重瞼の目だ。ところが空に浮かんでいるそれは既に、私の恋人のものではない。目を開いたまま、百億年のコールドスリープに入ってしまったような、厳しい目だ……日本鋼管鶴見製作所協力工場、東京から離れるに連れてどんどん複雑になる建物の名前に、ついに協力という文字が現れて来た。

近藤釣り船店富士丸、さっき電車の窓から富士丸を見た。富士丸もきっとあちこちにある……日本と東京と朝日と富士の氾濫する他県。人気はないのに交通量の多い道路。公園の中も、いきなり出現した緑地という感じ。ただ眺めは綺麗で何十メートルものアスレチックもある。なぜかそこに等身大の、ＧＩジョーの人形が出現している。――そうだバービーの後でＧＩジョーが流行った。なんで流行っているのかまったく判らなかった。サンダーバードの方がかっこいいではないか。それともペンタゴンが流行らせようとして、それで、結局売れなかったのか。

高架下から東芝京浜事務所がのぞいている。鶴見消防署入船消防出張所、歩いていていつのまにか交差点に差し掛かっている。渡っていいものかどうか少し迷う。テレビで見た沖縄の雰囲気などどこにもない。横断歩道の向こうの三階建てマンションの一階には、ビニールの庇《ひさし》型の看板が出ている……軍手、皮手、作業服、地下足袋、安全靴、雨合羽、軍足、七分ニッカ、ゴム手袋、長靴、ウエス、環七商会……そうだ、ウエスだった。ウエスという言葉も幼児の頃に覚えた。父の車を拭くボロキレがウエスだった。家族の着ふるしたシャツや下着、ウエス、持って来い、と父が言った。みんなで、ルノーとかダットサンでドライブに行った。が、それはごく幼い時代の事で小学校に上がる頃、父は私達が眠ってからしか帰って来なくなった。不況の時の方がむしろ忙しかった。日本が不況の時、世界全体が好況だったから、輸出はその時の方が良かったのだ。が、それも、昔話だ。

横断歩道を渡る。自転車に乗った作業服の人が環七商会に入ろうとしている。道を尋ねる。

——すいません、すいません。

——ああ、はいっ、はいっ。

——恐れいりますがこの辺に沖縄カイガンという。

——はいっ、はいっ、沖縄カイカンですね、それはこう歩いてすぐにあるのであります。

今まで来た道で良かったのだ。沖縄カイガンは海ではないらしいとなんとなく判って来た。いつしか、伊勢志摩にスペイン村が出来ると聞いたのを思い出していた。

歩道橋の先はまったくの住宅街。そこの掲示板……中学生の皆さんへ自衛隊募集、投票してこそ横浜市民、というポスター。電信柱に6DK・2500万円との広告。他の電柱には、技術者の募集、土木建設ガス電気溶接・玉掛一万円上。一万円からなのか。記憶にあるよりも賃金が低い、バブルが終わってから家の値段も人件費も下がったのか。

おや、二軒続けて沖縄料理の店。前にも一軒あった。

　ガラスの小さい戸の横に、ショーウィンドーのような細長いスペースがあって、白いカーテンが掛かっている。その影の向こうに缶詰が並んでいる。缶詰は好きだ。近付いていく。そんなに高くもなさそうだ。そう言えばデパートの食堂街で、沖縄料理というのを私は見た事がない……缶詰はハムやソーセージらしい、どこからかランチョンミートという言葉が蘇って来る。マヨネーズとハム・ソーセージの缶詰と米、そしてレタス……沖縄カイガンではなくて、沖縄通りなのか。そうだ、チョコレートだった。ここで見事に、思い出した。

　……昭和三十年代、という事は私は子供だった。父はまだ会社を始めていなくて、身内のところで雇われ社長をしていたのだ。それでもあの頃はもう毎日東京から日帰りしたりしていた。何日か留守にして、アメリカの土産物をどっさり持って帰って来た事があった……記憶の中の父が喋っている。

　まあそうやな、あの一ドルというのはな、わりとええかげんや、三百六十円、しかしアメリカでそんな値打ちがあるはずはない。というのはこんなチョコレートでも一個二十セント、こいつ（私）の好きなバービーは三ドルくらいからで。確かにほんとになんでもあるところや。チョコレートというとこんな大きい箱入りになっとる。しかし、あちらの一ドルは二百円や百円の感じで使うものかもしれんな……随分長いこと父がアメリカに行って帰って来たのだと私は思い込んでいた。が、父は沖縄に行って来たのだった。身内の会社がＰＸに店を出していたのだ。

　思い出した。父はバービーを選んでいる暇がなくて、チョコレートだけを買って帰って来たのだ。縦が三十センチ横が二十数センチ程の箱の中に、厚さ二センチ幅四センチ長さが七、八センチのチョコレートが百個以上詰まっていた。ぺらぺらの薄いボール紙で出来た箱で、片手で父が持ち上げると中身の重さで、底は、たわんだ曲線を描いていた。百個単位で目の前に出現したチョコレートは、喜びというよりは脅威だった。

　チョコレートがチョコレートの上に重なりぎっしりと押し合っていた。薄いかさかさした茶色の濃淡の、英語を隙間もなく印刷した折れ易い紙は、袋状ではなく、菓子をかなり乱暴に包んであったように記憶している。少しも可愛くない、荒々しい印象の子供の顔が、英語を押し退けるように印刷してあった。明治のチョコバーが出る前だったと思う。割って分けあうサイズのものしか知らない私に、ひとり分ずつ包まれたそれは、大きいとも小さいとも言い難い嵩だ。チョコレートに混ぜものがあるからこんなに厚いのだ、と父親が言う。紙をむいて、ちぎらずにそのまま噛み付いていた。家族で輪になって別に分け合うでもなく、一斉にでもなく、なんとなく食べた。ゴンチャロフのアソートチョコに慣れた舌は、薄くひび割れたそのチョコレートの舌触りを荒っぽく感じた。今ならココアパウダーだろうと判る、乾いた、あまりにもいい味の粉が、口の中で暴発としか言えない程唐突に砕け、奥歯に乾いたキャラメルのようなものがくっついていた。チョコレートの香気に絡み付くあくのような、チーズを思わせる辛さと妙な臭みが上顎に残った。それはその後に食べたハーシーの全てのチョコレートにもあった。日本のチョコレートをスタンダードと感じていた私は、そのあたりを癖としか表現出来なかった。おとなになってからキャドバリーの、カエル形チョコレートを食べるとそこにも癖があった。ハーシーのエクストラ・クリーミー・アーモンドはその癖を、チョコレートの存在感を残しながらぎりぎりまでマイルドにしてあったから多分気に入ったのだ。

もしも、あの時の最初の違和感がなかったとしたら、私はチョコレートの存在感とか、食後感という感覚を持たずに育っただろう。アソートではそこまで味わう事は出来ない、チョコレートの本質。――そのチョコレートは、ココアパウダーで軽くしてあったはずだというのに、喉にもおなかにもぎっしりと詰まったような食後感があった。チョコレート以上でもなくチョコレート以下でもなくただそこにあった。――記憶の中の包装紙はおぞましい程くっきりとディテールを取り戻していた。同じものを東京へ来てからさえ一度も見た事がないというのに。

――……イラッシャイヨ……。

判る。判る。沖縄カイガンはもっと先にあるはず……不動産の張り紙にふと立ち止まる。だって賃貸だし、鶴見駅バス十分オートロック、ペット相談。内緒で猫を飼っている私。16・148平米家賃七万、管理費六千円は、ペット可だとしても、別に、安いとは思わないけどね。ふらふら歩いていると沖縄という文字を、今度はレンガタイルのビルディングの上に見付けている、沖縄鶴見青少年育成センター、あ、沖縄カイガンではない、沖縄カイカンだったのだとそのときにはもう、判っていた。沖縄会館、それは一階が自然食品店風の構え、ベニイモ、トウガン、パパイヤ、ガラス戸の向こうにさっきと同じような缶詰が並ぶ。下は商店ばかり、それなら私が入り込んでも邪魔にならずに済む。上は階段、事務所のような感じだから遠慮しておく。センターを会館と言ったのだろうか、それともどこかに会館という表示もあるのか。

「ゆうなの花」というスナックの看板、Lサイズの下着あります、というファンシーショップらしい店はその日休み、スナックの隣に安い航空券の表示、奥は市場、いや、その手前に唐突に印判店、出来合いの判にも安護、安護名、安座名、安座間、……具志堅、と沖縄の姓ばかり。判のスタンドは二つ立っていた。暮らしやすい土地か。少し先のスーパーに入ってみる。一軒調べただけで東京の物価との比較は安易には出来ないから、まずここを見る。置いてある惣菜は鳥と竹の子炒め、牛肉カリフラワー炒め、鯖の塩焼き、会館に戻る。——そして納得する。沖縄に来てしまったと。ビデオもカセットテープも沖縄の本も、観光ではない感じできっちりとある。財布の中には六千円しかないので、安い食品だけ買って帰る事にする。スクスミレと書かれた薄い小さい銀色の魚の瓶詰、イカスミレの瓶詰、そのスミレというのが調味料なのかも料理法なのかも、私は知らない。沖縄ハムソーキ汁、と書かれたレトルトパックに触れる。店の一番奥にチョコレートがあった。だけどそれはスニッカーズ、アンデスのミントチョコ、ミルキーウェイと、全部スーパーで売っているものだ。ただミルキーウェイのぎっしりと入った大箱の紙の薄さだけが、昔食べたチョコレートを連想させる。もしかしたらあれは昔のミルキーウェイだったのかもしれないと思う。その他には、おや、……サータアンダギー、だ。知っている沖縄料理。油で揚げたカップケーキみたいな菓子。もうひとつシロアンダギーというのがあると聞いた事があるのでそれを目で捜す。と、ビニール袋に入ったサータアンダギーの隣にプラスチックパックに詰められたどうみても揚物としか思えない食品が置かれている。スナック菓子でカール、というのがあるが、あれを複雑にしたような形、色はカシューナッツのような軽いベージュ、あんだかしー、と平仮名で表示してある。完全にスナック系だと思ってそれをまず籠に入れ、ソーキ汁とチョコのコーナーにあったよもぎ黒糖、というのを買う。生鮮食品もと思ったが調理法が判らない。一方アンダカシーに興味が湧く。なんだか、そのまま食べられそう。そこでこの名前の意味を理解しようとして。

試みにサータアンダギーという単語を、サータとアンダ、とギー、に分解してみる。サータが砂糖、アンダが油だろうと勝手に見当をつける。あんだかしーはアンダとカシーに分解する。カシーだから菓子かもしれないと安易に考え、アンダは油の意かとまた身勝手に納得する。外見からもあんだかしーは塩味の揚げ菓子だと一応仮定した。そこでそれらを全部下げて沖縄料理店に入る。

……外からはあまりにも静かで何の人気もないように見えたのに、小さい店のテーブルは全部塞がっている。カウンターで沖縄蕎麦を頼む。紅ショウガ蒲鉾葱《かまぼこねぎ》、スペアリブをあっさりさせたような骨付きの豚、蕎麦というから蕎麦粉が入っているのかと思うと、薄く細長いうどんのような麺だ。そうか、蕎麦といったらラーメンも含めるのだと納得する。骨付き肉に歯を立て、一心に飲み込む。スープはラーメンより薄く関西人の舌には塩味がきつい。ソーキ蕎麦とメニューにはあったから、多分この豚の骨付き肉がソーキなのだろうと見当をつける。ソーキはおいしいです、という言葉を組み立ててみる。が、豚肉全体をソーキというのかもしれないのだ。ゆったりした沖縄民謡が流れている。後ろのテーブルの会話は聞かないようにしている。それなのに聴覚が尖っていく。

——ああ、……このあたりの人は沖縄の人ばっかりなんですか。

——いいえ、沖縄の人もいるしそうでない人も一緒に住んでいますよ。

——ふうん、あなたは沖縄のどこの出身なの。

——ぼくは、……だけれど、あなたはどこなの。

——え、私は別に沖縄の出身じゃないですよ。

——だから、なんという県のどこの出身なの。

——え、え、私は沖縄の事を聞いているんですけど。

ふり向いて私は三重県人です、と急に言いたくなってしまうが、人の会話に入るわけにも行かないのだった。質問ばかりするというのは結構失礼な行為だと、人の買い物袋の中まで覗き、不幸があると根掘り葉掘り聞く隣人の事に思い当たった。会話の中にあった沖縄の地名は、漢字にうまく変換出来ないまま、耳の中を擦って通り過ぎて行った。

オキナワヘンカンという単語や教科書の写真が、頭の中で否応なく点滅して、蕎麦どんぶりの中にどんどん顔をめり込ませるしかなくなってきた。

浅野駅に戻り、待ち時間の間に自動販売機から紅茶を叩き出して、あんだかしーのパックを開け、ベンチに座り込んだ。紅茶はホットと表示してあるのを当然のように選んでいて、寒気はまだどんどん強くなった。その、あんだかしーを掌に載せると感触はやはりカールのようだ。口に入れるとナッツのような風味があり、軽いアブラのかたまりがさっと溶ける。が、これはおいしい、と思うやいなや、顎に濃すぎる番茶のような渋が粘り付いた。アブラ、は油ではなく、どうも脂らしい。焼いたベーコンよりもっと癖のあるなにかだった。二個食べて諦めた。暑さの中を持って歩いたせいで傷んだのか。それとも時間そのものがおかしくなっているのか。

私はあんだかしーの一個ずつ複雑に違う輪郭を見た。どこかで見たもののような気がしてきてならなかった……豚肉のはしきれ、をもしかしたら生食しているのか、まさか、と困惑しつつも……あんだ、が脂で、かしー、は菓子ではなく、他のものかもしれないと思い直した。電車が遠くで鳴った。その音の中から、沢野ばーかばーか、オキナワの言葉を勝手に解釈するなよと誰かが言うのが聞こえて来た。

プラットホームに姿を現したのは、武蔵白石で見たのと同じタイプの、一両運転の幽霊電車だった。外から見て乗合馬車のようだと思ったその内部は、シートがブルー、壁はでこぼこの部分まで薄緑のペンキで塗り直してあって、それがまたくすんで、完全に車体とマッチしていた。天井から下がっている鉄骨そのもののような古い扇風機が、あまりにもゆっくりと回っているのと、同じ位の速度でとろとろと電車は行く。もしも景色がブレードランナーならこの電車の内装はスターウォーズ。——いつの間にか、暑さも音もスイッチを入れたように戻って来ていた。晴れた午後、新芝浦からもう東芝の壁が見える。外はブレードランナー、内はスターウォーズ、私はレプリカント、どっかにマッドマックスだってあるかもしれない。一旦滅んだ後の近未来や、地球からうんと遠い星の光景というのは、どこか不況っぽいものなのかもしれないという気がして来た。日本でもそのうち凄い製作費を掛けたSFが出るかもしれない。SFだって結構現実から発想しているのかも。そもそも全部未来とかハイテクだけでやったら、エンターテインメントにならないかもしれないのだし。……浅野、新芝浦、海芝浦、それは決して夢の中の光景ではない……マグロはもうどこかに行ってしまっていた。

SFの百年に一度しか出ない地球便ロケットの扉が開く音がして、電車の扉が開いた。ナニヲバカナコトヲイッテルンダカ……実は四十年も前、東芝の技師だった母は半年間だけこの海芝浦の工場に出向していた。鶴見から帰った日、電話でそれを知った。母は東京近くの東芝の重役の家に泊めて貰い、焼け跡を歩いて、この電車に乗って通勤した。あのホームを見るとね、海に落ちそうな気がして、と母も言った。東芝時代の話を母は私にもしなかったのだ。三重県の工場に研究員で大卒採用になり、彼女は、ほんの少し勤めただけで辞めてしまった。実験の素材に使う、99・999まで精製したシリコンの結晶を三回、男性社員に捨てられてしまったという。その時には高卒の社員も集まって母を取り囲み、男と同じ給料を取りやがってと面と向かって言った。それから母は食品会社の技師になって、そこで定量分析ばかりさせられたのだ。

海芝浦……短いホームの片側に緑の鉄柵だけ、下は海、柵の下の海にベージュの汚い泡が浮かんでいる。中性洗剤とシャンプーの瓶が浮いて漂っている。目を上げれば扇島石油、昭和石油、というタンクの文字、扇島はここだ。昭和はどこだ。昭和てんぷら粉のトナリなのか……子供の頃、学級新聞の名前を昭和新聞にしようと言った奴が、大人過ぎると言って批判されていた。

臭い、にアトピーの皮膚が反射し始めている。目がチカチカする。ここはSFの貴重な鉱石の採掘地。それがあると水が石油になったり、石が金になったりする貴重な鉱石。でもすごく遠い星の気難しい、平均寿命が八千年の宇宙人が掘っているのだ。そうだスーパージェッターに出てきたゴールドマシーン、なんでも金にする機械というのがあった。が、二十一世紀の少年ジェッターが工作の時間に作ったそのゴールドマシーンを、なんで三十世紀の悪漢ジャガーが、タイムマシーンを使ってわざわざ二十世紀に取りに来ていたのだろう……なーんだでももうそろそろ、二十一世紀じゃないか。

電車の待ち時間二十分程が耐え切れない。臭いと煙と光。駅のホームでは四十後半から五十半ばにみえる華やかな女性が、うわう、と手を広げ感激している。髪を編み込みにして真っ赤なリボンを、頭頂から項《うなじ》にかけて縦に五つ付けている彼女の後頭部を、私は眺める。朝早く起きてあの髪を作るだけでも大変だろう。余程ここに来るのが楽しみだったのだと、判るものの、こちらははしゃぐ気にはなれなかった。婦人は駅員に話し掛ける。

——あっ、私ねえ、ええと。

そう言ってから急に声を張り上げる。

——たっ、たのしみにしていたのう、とても、ずっとここ、きたいと、おもっていてえ。

——はあ、そうですか。

駅員はもうひとつ愛想がない。いや、どこでもこんなものか、でも婦人は幸福そうで少しの影もささない。

——こっ、この駅のホーム、本でみたのう、素晴らしい、て思って、ほらね、ここにも写真があるこの旅行の本、こんなのはきっと世界中の、どこにも、ないわ。

——うーん、いやあ、はっはっは、この前ね、テレビの取材が来たの。

そう言われれば確かに悪い気はしないだろう……。

——そう。私それ、昨日テレビで、それを見たの、それで、今日こそは絶対に、来ようって、思ってえ。

婦人は扇島に向かって手を振る。駅員も次第に幸福な気分になってきたらしい。

——テレビで釣の取材するといったので断ったんですよ、ほら、ここ、危ないでしょ、釣れたところを撮るのにね、ダイビングで下に潜って魚を針に付けると言ったりするから。

——まあ、そんな事があるんですか。

婦人は和紙の手帳を出して何か書き始める。

——あっあなたも取材なの。

——ううん、日記付けているの。

——ふーん。面白いね。

テレビがきちんと纏めて行った後の景色を私は見ている。帰りの切符を忘れていたのでまた外に出るしかない。無論、外、といってもよそ様の玄関先……これより先は東芝構内です当社御用の方以外は入場をお断りします。

私の夢の中に出て来る灰色の海は、全部コンビナートの海でしかないのか。

……工場の敷地の静かな生け垣、真っ黒な雀、汚れた植物、休日出勤かオレンジ色のヘルメットを被った人が白っぽい作業服を着て、バインダーに留めた紙を持って、それをひねるように振り、少し疲れたふうに歩いている。工場の窓際には小さい鉢植えが沢山ならんでいる。その敷地に近いホームの部分が板で囲ってある。板とホームの隙間では焦げた金属のような、海が動く。——そこだけが夢の景色に思えた。夢のマグロのいない夢の海だ。

東芝の玄関前は植え込みになっているが、塀で囲ってあって海は見えない。ホームに戻ると華やかな女性は疲れたようなひどく悲し気な顔で黙りこくっていた。普段は無口なのかもしれなかった。

　電車が走り出すと、振り返って大きな表示を見落としていた事に気付いたのだった。東芝の工場の壁の文字だ。工場と二十一世紀に向かって限りなく前進しよう、と書いてあった。

　それから半年以上経って、私は初めて行った中野ブロードウェイの地下で、マグロの目玉を一対六百円で売っているのを見た。絶対に予知夢ではないと思った。ただいつのまにか、マグロの目玉がブームになっていたのだった。それが電話にどうして紛れ込んだのかは、未だに判らないままだ。その二日後、ふいに思い出して若い男の子に、二十一世紀とジェッターの話をした。すると男の子はひどく蔑んだように、ジェッターは三十世紀です、と冷たい声で訂正したのだった。

二百回忌

私の父方の家では二百回忌の時、死んだ身内もゆかりの人々も皆蘇ってきて、法事に出る。それがどうも他の家と違うところらしいが、よその家でも皆そうなのだと、子供の頃はずっと思い込んでいた。法事の間だけ時間が二百年分混じり合ってしまい、死者と生者の境がなくなるのだ。無論それは二百回忌の時だけの事で、例えばいくら盛大に執り行ったところで九十回忌位ではそんなにはならない。それ故子供の頃の私はまた、二百回忌というのを死者を蘇らす儀式の事なのだと思い込んでいた。もともと二百回忌をする家は稀であるから、この思い込みは随分大きくなるまで続いていた。が、中二の時だったか、ある日近所の旧家から二百回忌をするというしらせが来て、初めて、誤りに気付いたのだ。

その頃住んでいた土地では法事の時、僧侶の着替えをする場所として他家の部屋を使わせて貰う事がしきたりだったのだが、その申し入れが口約束では失礼だと、当の旧家から、法事の何ヵ月も前に、ごく近所なのに書面で送られて来ていた。そこで、「蘇って来るはずの明治時代の人を見にいきたい」、と私が何気なく口にすると、なぜか母がふいに声をひそめて、ヨソノ家デハ誰モ蘇ッテ来ン、と言ったのである。そう言えば人前で両親がこの事を話題にした事がなかったとその時に急に意識し、私は自分なりに納得もしたのだった。両親はそれを別に恥だと黙っている様子ではなかった。また、特別な現象を嫉まれるという心配もなかった。要するに説明が面倒だという事らしかったのだ。

二百回忌の重要さは物心付く頃には、既に周囲から心に植え付けられていて、それもまたよその家と違うところだった。私の家はどうも、こういう法事のためにだけ存続して来たようなものであるらしくて、家だとか存続だとか古臭い言葉でしか、説明出来ないようなものばかりがまさに続いていた。そんな家風に反感を覚えたせいもあって、随分早くから郷里を出てしまい、東京に来てからもう十年以上経った。つい二年程前にはとうとう親と縁まで切ってしまい、完全に家、という概念を失ったつもりだった。――ところが今度二百回忌がついに行われるという知らせがしきたり通りの、金の太陽に烏《からす》を黒く抜いた紋の入った、真っ赤な封筒で届いてしまうと、私はたちまち理性を失っていた。

家を大切になどという気持ちはさらさらなかった。が、話に聞いたものを、聞き続けてきた代々のものをふいに自分の目で確かめたくなってしまったのだ。二百回忌が長く続いてきた事、そしてそれが三代にひとり出るか出ないかの特に功績のあった当主のためにだけ催されるもので、せいぜい百年に一度しか催されない事、しかもそれに本家が全財産を傾け、時にはそのために没落までしてきた事、それらがいつのまにか気になり始めて、いつしか行くつもりになってしまっていた。行こうと思えば定期を解約してでもお供えを包まなくてはならないのだが、日が迫ると行こうと思う、は行くべき義務、に変換されてしまい、本当に定期を解約してしまった。恐ろしい事に、家に縛られる自分というマイナスのイメージがどこからも湧いて来なかったのだ。ただ死者を懐かしみ会いに行くのだと、事は個人の心の問題に摩り替わっていた。自分を誤魔化したというよりも二百回忌に誤魔化されたという感じだった。

実際、みんながなんとなく楽しみにしてしまうような法事だった。二百回忌自体にそんな要素が、含まれていた。とりあえず死者が蘇るのを見られる上、法事の間中ありとあらゆる支離滅裂な事も起こるのだという。しきたりを重視する他の法事と異り、無礼講が身上の珍しい行事なのだ。掟破りの解放感を意識的に求めるので、本家の人々も命懸けで、出鱈目《でたらめ》な事をしなくてはならないらしい。といっても人殺しや放火をするわけではなく、全てをめでたくし、普段と違う状態にしなくてはならないのだった。もともと、本家のある土地の行事や交際は派手なのだが、二百回忌ともなるとただ単に派手なだけではなくて、常軌を逸する程華やかでなくてはいけないのだ。年寄り達はよく、御《お》蔭《かげ》参りのようにめでたくする、という言い回しを使った。家を全部叩き壊したり男女の差別をひっくり返した法事もあったらしく、その様子を聞いてみると家父長制の存続どころか、ぶち壊しをはかっているとしか思えなかった。私ばかりではなく親の家にはまったく寄りつかない他の兄弟姉妹達も、それ故なのか、二百回忌にだけは参加するのである。

どういうわけか、私の家では子供は全員親と縁を切ってしまっていた。一番上の兄など十六で家を出ていってしまってそれっきりだ。私は随分遅くて、三十五になってやっと切った。原因は写真写りの悪さを責められた事だ。一昨年の春、私を写した写真がひどく老けて見えると、故郷の親から毎日怒りの電話が来たのがきっかけになった。

三十五の女が四十に見え髪の毛は全部白髪にしか見えない、家《うち》の娘ならば二十五歳に見えて当然だ、などと自分ではどうしようもない事をしつこく批難されて、私は生まれてから今まで、親が私を一度も本当に見た事がなく、また生まれた瞬間から、こんな出来の悪い子はどこかで取り替えてきてしまいたいと思っていた事に初めて気付いたのだ。親は私を育てたつもりで、単なる理想を育てていたのだった。そして不思議な事に私もそれに、必死になって応えようとして来たのだ。が、写真写りの悪さを叱責されたその日、いきなり、あらゆる事が一気に判った。それまで冷たい酷《むご》いと思っていた兄や姉の縁切りまで、まったく当然の行為に思えて来たのだった。

私を理想の娘に仕立て上げるよりも、余所《よそ》から理想の娘を養女に迎えた方がいいと思う、と適切なアドバイスを書いた手紙を送った後、私は両親と連絡を絶った。両親もそれをなんとなく受け入れ、今ではこれから手に入れる理想の娘について話し合ったりして、結構幸福に暮らしているという。彼らも無論その法事には来るのである。

親と二年振りに対面する機会ではあるが、別に仲直りをする気はなかった。死者も含めて何百人来るか判らないそこで、まともに顔を合わせる機会があるかどうかも疑問だった。そもそも縁を切った時から、親の顔も名前も忘れてしまっていた。

私にはもう親というイマジネーションがなくなっていた。今の私を土地だの血縁だのに結び付けているのは、結局二百回忌と死者の記憶だけだ。本家自体も別に懐かしくはなかった。そこの人々には子供の頃何度か会っただけで殆ど行き来がなく、訪問するのも実は初めてであった。何年かに一度墓に参る時も、墓地に直行して挨拶せずじまいだ。本家はもうひとつ判らない家で、特に私の家とは殆ど絶縁していた。もともと人付き合いの下手な人達らしく、他の分家ともいさかいを起こしがちで分家も頼ったりしない。それでも二百回忌ばかりではなく、全ての法事はそこで行われる。本家の情報は私のところにまで伯母たちから手紙や電話でずっと入って来ていた。そこにはナラとミエの県境のカニデシという駅から、一時間に一本のバスを使って行く。

カニデシは漢字で蟹田司と書く。変な名前の土地へ、好奇心と義務感に引きずられて、会いたくもない人々に会いに出掛けるのだ。いや、そういえば死者の中にならば会いたい人がひとりいたが、それも、母方の祖母なのである。母方ならば、本来二百回忌に関係ないはずなのだが、行けば会える確率が高いのであった。

二百回忌で蘇って来る者や法事に出る者は、別に、血縁だけではない。出席者で言えば出入りの人と呼ばれる元の小作の人達はなぜか殆ど全員が来てくれるという。彼らは普通の法事にでも応援に来てくれるのだが、本家が格式を守らない場合などは批判しにも来る。他には近所の人々も参加するらしい。そういう関係者の中で、いわゆる名物だった人が死んだ後に、二百回忌の最中ふと蘇って姿を現したりする。また地縁だけで交際のなかった有力者や姻族の遠縁でも、生前有名だった死者が、蘇る事さえ時にはある。主だったものが選ばれて出る、という言い方があったし、思い出さえあれば、出て来られるのだ、という説もあった。例えば姻族で本家の法事に度々出席し、生前付き合い続けてきたものはまず生前の姿で現れて来る。が、その時には蘇ってくるという言い方をせず、正確には、混じってくる、という表現を使う。混じってくる事は生前義理固く本家に来ていたとか印象が深かったという証拠であり、名誉な事とされた。

祖母は生前、印象深い人でもあり義理堅くもあった。私にとっては、死とは何かを教えてくれた人間であった。彼女に溺愛されて育ったせいか、私は今でも様々な和服の布地越しに、その体にもたれていた感じなどをはっきりと思い出す事が出来た。それ以前にも身内の死に目にあってはいるが、それらには具体的な死の手応えがあまりなくて、ただ、祖母の死だけが強烈な現実であった。そのせいか、死んでからしきりに見るようになった夢の中でも、夢の情景や他の登場人物に対して、祖母の声や表情だけがひどく生々しかった。夢の中で、ああ、祖母は生きていてこれはまさに現実なのだと繰り返し思う。ところが目が覚めてみると死んでしまっている。そうやって夢を確かめながら、生死の境を指でなぞりながら、数年が経った。が、その割には、親と別れてからの私は本当に祖母に愛されていたかどうかが判らなくなってしまっているのだった。死者に会えるというのならまず祖母に会ってみよう、と思ったのだ。二百回忌のからくりだけに引かれたのなら当日になって面倒だから欠席、となる可能性はあった。が、祖母は結局、そんな躊躇をふっきるもう一押しになった。

　出ると決めると準備がまた大変であった。普段の法事と違い、なにもかも新しく整えなくてはならなかった。例えば二百回忌には黒の礼服を着ていくわけにはいかない。それ専用の赤の喪服は野方のナガサキ屋にいったって売っていないから、法事をしきる本家の手配でナラにある大きな冠婚葬祭センターから借りてくるのだった（それは宅配便で届けられた）。赤の喪服を見るのは初めてであった。二百回忌ならば喪服というより式服といった方がいいのかもしれないがともかく葬儀センターの人は赤い喪服ですね、と言っていたのだ。センターの人には電話で細かい事を問い合わせてあった。喪服に合わせた赤のバッグと靴も借りて、赤のストッキングとハンカチは買った。ストッキングは二足入っていて、お供えの現金を入れる袋も届いたが水引は結びきりではなくて、色は赤と金で、やはり金の烏をかたどった飾りが付けられていた。当日の朝、その袋に朱墨を出して自分の名前と、金額を書いた。定期を解約しただけではまだお供えの額に足りないので、キャッシュカードで現金をおろしたらいつもは新しい札しか出てこないのに、明治時代の皺くちゃのが出てきたのでアイロンで延ばした。それでもういよいよ二百回忌に行くのだという実感を持った。いかにも二百回忌らしい、普段起こらないような事がどんどん起こり始めたのだと、納得出来たのである。出発からしてこうで、言うまでもなく、本家最寄りのカニデシの駅など、時間と場所の溶け崩れる最も危ないところになってしまう。そもそも本家の人々は二百回忌の時しかその駅を使わない。二百回忌をしない家では平気で回数券を買ってその駅から通学したり出来るのだが、本家の人達は通常、ひとつ前の駅である蟹田下《カニデシタ》や、ひとつ向こうの駅である蟹田内《カニデナイ》までわざわざ行く。もともと駅など出来る前から、ずっと昔からそうやっていた。つまり代々カニデシというポイントを避けて通って来たのである。普段に本家のものが通っただけでも時間が変になる恐れはあったし、下手に通ると二百回忌の蘇りがなくなってしまう可能性もあった。無論、法事に出るものの道程にも時間の異変は起こり、今度の案内でも鎌倉時代から続いているという旦那寺へ、過去の例について問い合わせていた。寺側は時間の逆行の具合をまずシミュレートし、その結果をひとりひとりに教えてくれていた。例えば二百回忌の異変で歪む時間、省かれる時間や疣《いぼ》のように固まる時間、それにまるってわざとらしく遠慮する時間や、呼んでもないのに大物ぶって来る時間も見当を付けて、各々の出発時間を定めてくれたのだった。私にしても、本来なら東京の中野からその山に入るだけでも十二時間は掛かるはずなのであるが、それを、今日発って今日着くというのだから、そもそもそれ自体が異変だった。

案内が来るまでは時間の歪みを、一体どうやって教えてくれるのかと不安だったが、実際送られて来た地図を見ると、線路や駅のところに、大体の時間の伸び縮みや、進行方向が判るように印が付けられていた。私の場合、カニデシの七つ手前の蟹天然《カニデンネン》あたりからもう変になっていた。ただ逆行する時間が長く、よれてまで無理に来る時間は殆どなく、遠慮してくれる時間も多かったため、その日の朝出ても一時からの法事に間に合うという得な立場だった。とはいえ電車の中で二回程日没もあるので、上着は用意しておけとの、本家からの但し書きも添えられていた。山の中は初夏でも日が暮れると寒い。あらっぽいと評判の悪い本家だったが、この時ばかりは随分細かい事にまで気を配っていた。

時間の進み具合はひとりひとり違う。兄などは四国からそちらに入るために、時間が凄まじくうねりまくり、三週間前から出発させられていた。

当日赤い服に着替え、赤いストッキングに足を通そうとすると、ここにも異変が来た。経歴のどういうわけか飼っている猫が発情し始めた。猫は預けていくことに決っていた。経歴の判らない猫をおとなになってから家に入れたのだが、この五年一度も発情した事がなかったのだ。それがいきなり尾をくねらせて見覚えのないステップを踏み始めた。見るとこころもち尾の付け根が膨れている。だがそれが発情のせいかどうかさえ私には判断出来ないのだ。その上ドアのところへ毎日、ただ単に遊びに来ていた雄猫がその日に限って、ギャアア、ぎゃあああ、と鳴き始めた。雄の数はどんどん増え続け声が重なっていった。やがて目の前で雌猫の腹が膨れ上がり垂れ下がった。猫が洗濯機置き場の横のぼろきれと紙袋をストックしてあるところに入り込んだ。あっという間に子猫の鳴き声が聞こえてきた。十匹や二十匹の声ではない。それからも異変は起こり続けた。

　家から歩いて一分の都立家政の駅から、高田馬場へ出て、乗り換えようとするとＪＲの駅の表示は、全部国鉄に戻っていた。異様に新しい新幹線に乗って名古屋に入り、そこから近鉄線で松阪《マツサカ》に降りた。松蟹《マツカニ》線（蟹張《カニバル》―松阪）に乗り換えて県境の山の奥に入った。廃線反対の立看板や山の斜面を切り開いた樹脂加工場の間を通り抜けるうち、次第に暗くなった。そこで日没なのかと思うと、ただ崖が迫っていただけであった。

　各停の駅を三十まで数えたところで日光が白っぽくなり緑になり、線路の両側を岩に囲まれたところで、本当に真っ暗になってすぐまた日が昇ってきた。それからまたもう一度日が昇ったが、二度目はどこで日が暮れたのかが判らなかった。気が付くと電車が止まっていた。早く着き過ぎたのかホームには誰もいない。そう言えば電車の中でも人に会わなかった。人のいない、車両が三つしかない車内の後方の一部に、真っ赤な毛氈《もうせん》を敷いてあって、赤い小物や赤のシルクハットなどを売ってはいたが、そこにも店番すらいなかったのだ。二百回忌に来るものの辿ってくる時間は、ひとりひとり違う。その時間が交差した時だけ、相手の姿が見えるのかもしれなかった。

　駅は台風の眼にふさわしく静かだった。カニデシのホームから進行方向を見て、私は呆れ果てた。というのもつい先十メートル程のところがカニデナイのホームだったからだ。その、カニデナイで線路は途絶《とだ》えていて、標高千メートルと彫られた杉の丸木が、立ててあった。バスの停留所でもこんなに近いのは見た事がない。しかもどちらの駅の建物にも人が入っていく。十メートル離れただけのふたつの駅は、別に二百回忌の日でなくとも両方とも機能しているらしい。このあたり出身の政治家が作らせたのだろうか、それともまだ本家にこれだけのばかばかしい威勢があるのだろうか、と考えてみたが、初めての土地で判るはずもない。

ただ、目と鼻の先のカニデナイの方は確かに駅員もいるし、プラットホームも長い。こっちが中心、という事は見てとれるのだ。一方カニデシの方は商店の倉庫のような外見の小さい、無人駅である。おまけにカニデシで降りる時はアナウンスに従って自分の手で電車の扉を開けて出なくてはならないのだ。三十年程前からずっとそうだという話だった。もしこれが本家の力ならば、いや、それでも……。

カニデシ駅に降りると、制服を着た駅員はいないものの、窓口の硝子《ガラス》が開いていて人の気配があった。中を覗き込むとそれにしても広過ぎる畳敷で、建物の外部とどうも釣りあわない。空間もおかしくなっているのかもしれないと思ったが、とはいえ内部のたたずまい自体には異変はなさそうで、畳も新しく、掃除もされ、部屋の中央の火鉢に夏なのに火がおこされているというのも、私には別に不思議ではなかった。火鉢には蟹鴨《カニカモ》根《ネ》小学校と書かれたアルマイトの大ヤカンが掛かっていた。書類はきちんと整理され輪ゴムで束ねた回数券が並んでいた。そこに顔形のぼんやりした年寄りが数人いて、異様なおとなしさでお茶を飲んでいた。でも、彼らが生者かどうかもその時点ではもう判断が付かないのだった。蘇ってきて、法事に出る程でもないのでそこで茶を飲んでいるのか、それとも二百回忌と関係ないカニデシの一般の人か……。ともかく、彼らは二百回忌についての会話しかしなかった。それも私に気付くとどことなく演技にも思える態度でいきなり、話を始めたのだ。

本家が人を頼み、赤の喪服の人を見掛けたら今回の二百回忌を褒め讃えさせる、駅前から既にそういう趣向になっていたのだが、その時の私は知らなかった。そもそもそんなからくりなんて見当付くはずもないではないか。

ただ、目の前に、数人の年寄りが車座になっていて、その中のひとりが、周囲を見回して急に顎を上げ、歌舞伎の子役のような甲高い声を上げた、という事だけで。

――みなさん、あんたさん、きいてなさる。

それを受けてすぐさま、よく似た甲高い声が上がったのも。

――はいい、沢野の若当主さんの話でした。もう二百回忌やで一遍にやりきったろとおもて、それでこっちは盆の間でこっちは正月の間に改築しましたていうてえ。

三人目は立ち上がり人形振りでちょっと踊ってから発声したはず。

――ああ、家を八角形に建て替えてな、盆の間、正月の間、常《とこ》の間、祭の間。

またひとりが立って、同じように踊っていた。

――それはそれはあの家ももう終わりかとおもたら。

そこでやっと全員老女だと性別が判った。ただ、誰が誰か区別が付かない程よく似た姿だった。そこでそんな座ったままの影達が同時に、発声した。

——沢野さんは娘さんが皆体格が良うて、女だけしか行けへんという特別な女子の大学へも行かして、子供の頃から洋服着させて、育ててして、それでまた分家が、内福やったのんで。

あとはまた口々に、鳥が鳴くように。

——分家と違いますわ、それは、嫁ぎ先がお大尽で。

——分家も内福やの。分家と嫁ぎ先で、両方、よろしいの。そこのまたそれぞれ孫がかしこい。

——そうそう、大きなええ孫ばっかりやてまあ、けなるいこと。

けなるい、とは羨ましいという意味の方言である。

——なんでああゆう、しとなるようなけなるい孫ばっかりとれますのか。

しとなる、というのは大変よく成長する、の意の方言である。質量共に使うがその方言を、大きく頷いた各々がわざとらしく受ける。

——それは、しとなるのは摂理ですわ。

——そこはそれ、天地の摂理ともいうて。

——なりものに鳥の馬糞を掛けるとようしとなります。あれと同じ事で、ようしとなるように。

——人にも鳥の馬糞を掛けますのや。

全員でさも感動したような間を置くといっせいに笑い、はやしたてる。

——あ、しとなる、しとなる。

——しとなれ、しとなれ。

——しとなった、しとなった。

——しとなった、わいなあ。

ちなみになりもの、は畑の作物の事で鳥の馬糞という神秘的なフレーズは単に鶏糞の意に過ぎない。人糞《じんぷん》などは人の馬糞となる。

会話の間中、彼女らの多くが私にじっと目を当てていた理由が判らなくて、その時はひどく戸惑ったのだった。が、要は、頼まれて演技していたから、というだけの事であった。そんな諸々を気にしつつも通り過ぎようとすると、今度は背後から大きく声が掛かった。

——今通ったのもカニデシの分家の里帰りやわあの、大きいこと。

——背中がゆさゆさと揺れて通る。山か壁か相撲や、ああ、けなるい。

大きい大きいと言われるが上京してからは服のサイズにも困る事はなく、また大きく育つ事も良く太っている事も別に褒め讃えられるような要素ではなくなっていた。山だ壁だ相撲だ、が二百回忌特有の大袈裟な表現だというのにもその時は気付かず、ただ座敷の年寄りはみな小さかったから、このあたりは小さい人ばかりなのかもしれないと思ったりした。

駅の周辺はただ畑で、雑木林の向こうに酒屋の煙突が見えるだけであった。バス停の前から振り返ると、小さい年寄り達は駅の外に出、扇子をかざしてそろそろと踊っていた。――彼女らが扇動ばあさんと呼ばれる、二百回忌に欠かせない役割だとその時の私には判るはずもなかった。めでたさを増すために山を越えた艮《うしとら》方位から、その時だけ来て貰う、仕事《い》して貰うというきまりだという。彼女らは、ともかく、なんでもかんでも、褒めるという。私はバスに乗った。

バスが山道に入ったときから、また、一層時間はおかしくなった。畑を烏が無数に歩いていたりする中で標高は変わるし、方角なども一切判らなくなった。カニデシは落武者の子孫で隠れ里のようなものだと、近隣の人々からは言われるそうだが、二百回忌の時の話が誇張して伝えられたのかもしれなかった。

こうして本家に着いた。それはバス停の前にあった。というより本家はもともとそのあたりの郵便局の業務を任されていて、そこに来る人のためにバスが停る。そのバス道を挟んで、向かいは畑だった。

昔、親から話に聞いていたそこの白壁の塀と冠木門《かぶきもん》は、瓦も漆喰も手入れしたらしく、新しくなっていた。門の中に入ると、以前に写真で見ただけの家の、ごく一部のみが残っていた。庭の敷石や大木はそのままだが、花畑や植え込みは全部撤去されて、葬式の花輪としか思えない造花や、鉢植えの観葉植物が並べ立ててあった。今はポンプで汲むようになっている井戸の側には大鍋が据えられ、そこで棒状の固形燃料を燃やしているようだ。鍋からは殺気を孕んだ湯気が上がっていた。それが話に聞いていたトンガラシ汁であった。真っ赤なタカノツメを木綿糸に通してネックレスを作り、大鍋に沸騰させた湯の中へただ放り込んだだけの料理なのだ。これには塩気も出汁も実も一切なく、そのまま飲む。二百回忌で最も大切な食物である。二百回忌に付き物の嬉し泣きを、涙の出にくい人にももよおして貰わねばならないというので用意されているが、当日本家で作るものはそれだけであって、他は全部魚安という料理屋から仕出しを取る。

歩み寄って行くと、私の体型と真っ赤な喪服を見て、本家の人々はすぐに一族の女だと納得したらしい。挨拶しようとすると手で制して掌を真っ赤にした本家の誰かが、いきなり、私に針と糸を渡した。そこで私は聞いていた通りに、年の数だけ、三十七個のタカノツメを木綿糸で貫き、両端を何重にも玉結びした。一旦首に掛けてから大鍋の煮え立つ中に放り込んだ。トンガラシの湯気で汁など飲まなくともすぐさま涙が出て来る。首筋のタカノツメの当たったところも、ぴりぴりする。

トンガラシ汁の儀式を終え、周囲の人々に、私はまんべんなくお辞儀をして上がろうとした。ともかくお供えを渡さなくてはと思ったのだ。が、そもそも母屋の入り口がどこかも判別できない。普段の居間や応接に使っているあたりの襖をあけはなして、一応仏間への通路にしてあると聞いた。が、そこにはもう出入りの人々がぎっしりと座りこんでいて、訪問客の服装チェックをしようと目を光らせていた。しかも部屋らしい部屋といったらそこだけである。なにしろ、——。

元々は鉤型に長く伸びて、中庭の渡り廊下で離れと繋がっていたという本家の家。その家が仏間と居間と、その両側の間を残しただけで、後ははりぼてのようなプレハブに建て替えられていた。おまけに全ての外壁が真っ赤に塗られ、古いアルバムから引き伸ばしたのかそっくりに描いたのか、死者の写真や似顔絵が掛け軸にされてずらりと飾られていた。駅では八角形の家と言っていたが母屋の中央部を残しただけで、八方に急拵《ごしら》えのウィングが出ているタコみたいな形だった。

二百回忌の準備には出来るだけお金を掛けなくてはならないのだが、後に残るようなしっかりしたものを作ると却って馬鹿にされる。二十日で出来るようなものが丁度いい、と表現されたりする。急拵えで徹底して無駄なものを、という基準を考えると、このプレハブは終わると共に分解、どころか叩き壊されるものなのかもしれなかった。難儀しながら、なんとか人々の間を縫って仏間へと入る時、どういうわけか出入りの人が私をまったく無視したのでスムーズに通れた。つまりは彼らが、殆ど死者だったのだろう、と一旦は自分なりに納得をした。が、すぐ後から来た同世代くらいの女性はたちまち人の輪に囲まれ、どこの家のものかとか、赤い服の生地が安っぽいとか、表情にめでたさが足りないとか、トンガラシ汁はもう作ってきたかとかいろいろ言われたのだ。

ヨミガエリの死者は生前知っていたものとしか口を利けないとも言われているのだが、生者にしても関わり合えるものと関わり合えないものとがいるのかもしれなかった。もともと私は美容院の順番を抜かされたり、話掛けたのに気付いて貰えなかったりするタイプなのだし。

仏間には親戚が、ヨミガエリの者も交えて、百人以上はいた。誰が死者で誰が生者かはその時点ではまったく判らなかった。私など普段会わない生者を見なれぬから死者だと思い込んだり、また遠縁の人と思い込んで死者を生者の数に入れてしまうかもしれなかった。部屋は中央だけが元のままで、周囲はプレハブの建材が妙に光り、新しい砂壁に金の砂が塗り込めてあった。仏間全体は確かに八角形になって、それぞれの角が畳敷の通路に続いていた。その入り口に朱墨でそれぞれ盆の間、正月の間、祭の間、葬式の間、などと記されていた。ヨミガエリの死者が蘇り易いように特別な空間を設定するのだという。気温も今度はエアコンで盆の気温、正月の寒さと、調整したらしい。

さて、このようにして、全員がきょろきょろとしている内、混雑の中で道が開けられて僧侶が二十人程も入って来た。この法事の時だけ羽織るフランシスコ・ザビエルのようなマントを着て、真っ赤な袈裟を、またそのマントの下からのぞかせている。彼らはまったく同じ音程で経を読み始めた。私達はもう席順もへちまもなく、ただぎっしりと座蒲団を並べ、出来るだけ仏壇の前を開けて僧が飛び跳ねたり出来るように配慮をした。読経だけでは済まないのが二百回忌なのだ。

話に聞いた通りに、当日は仏壇の側にいきなり若当主が座っていて、本来の当主の姿はどこにもなかった。別に隠居をしたわけではなかった。当主は普段は最も重要な役割を演ずるのだが、二百回忌だけは出来るだけ無意味などうでもいい位置で、なるたけ馬鹿げた態度を取っていなくてはならないのだった。六百年程前の二百回忌の時の当主などは、庭で蛙の鳴き声ばかりやっていてそのまま冬眠してしまったとまで言い伝えられ、今でも褒め讃えられていた。無論当日は若当主も挨拶などしない。そのまま、ただ、読経が続いた。

　この読経は二百回忌にだけ唱えられる烏のような声の異常な文句で、昔から烏経といいならわされていた。このあたりでは烏の鳴き声をげえる、げえる、げえる、げえる、と表現するのだが、経典本来の意味はまったく失われて、ともかく、真面目に烏のまねをする事だけが求められた。げえる、げえる、は高く低く様々な抑揚を付けて行われるのだが、のっけからの声の緊張感のあまりの高さにまず驚かされ、しかも大真面目である事に気圧されるのだ。その上いくらでも繰り返して絶対に照れも疲れもしないというので、迫力に押されていつしか聞く方は笑い出してしまう。またその笑いに僧侶が一切反応しないで、一同、音程を同一にしていくらでも続けるため、最後には爆笑してしまうしかないのだった。そして声だけでなく、僧の中には立ち上がって踊る者がある。マントを広げてひたすらぐるぐる回るだけの者もいるが大抵は足の裏を見せてげえる、を叫びながら衣の袖を羽のように広げて必死で跳躍する。中には一分に一回だけ、げるっ、と発声して後ろにとびすさるものや、ふたりの僧侶が重なりあって、げるげるげるっ、と鳴き交わしながら烏の交合のまねまでするのもいた。が、それもふざけてではない。むしろその様子は、どれも全身の筋肉を精一杯使って、まるで荒行のようだ。異様な光景なのだが、子供の頃からずっと話には聞いていたから、初めて見たという感激は薄い。

ただ話の通りだったという事になんとなく安心感を覚える。そうしている間にもトンガラシ汁だけはどんどん回って来る。この日のためにだけ特注された、真っ赤な塗りに金の家紋が入った椀に注いで、割れたタカノツメから吐き出された種のぱらぱらと浮いた汁が、ひとりひとりの前に並べられている。それを誰かが一口飲むと出入りの人が混雑の中を潜り抜けて走ってきて、杓で足してくれる。

烏経で爆笑しながらトンガラシ汁で涙を流し続けている内に、異常に気分が高揚して来る、そんな法事だった。やがて爆笑しながら周囲を見回す余裕も出て、以前に一度だけ会った従兄の顔、叔父や伯母の顔をやっと認められた。真っ赤な喪服を着るとどういうわけだか、誰が誰かも区別が付き難《にく》くなってしまう。だが目が慣れても、自分の家族の顔は、判らないままだった。――いつしか僧侶が人々の間に割って入っていた。今度はひそひそ声でげえる、げるげるっ、と唱え始めた。そうしながらひとりふたりと退席して行った。すでにトンガラシ汁の器に酒が注がれ、私語ばかりどんどん高くなっていた。若当主は真っ赤な落語家のような紋付きを着て、畳の縁や座蒲団に酒を撒いていた。すると撒かれたところからまったく記憶にない、しかし明らかに沢野の家の特徴を備えた古臭い顔が生え始めた。私は聞き覚えのある声に首を伸ばした。

――これはな、昔はヒロポンが入っとってな、もっと飲みやすかったたん。

冗談のきつい父方の叔父のひとりがそういいながら、細い腕でまだ残っていた僧侶を押さえ込んで、自分の椀からトンガラシ汁を飲ませていた。沢野の女は大抵大柄で肥《ふと》っているが、男の方はなぜか痩せ型である。目鼻は一応整っているがやたらホクロがあり、叔父はその典型と言える姿だ。叔父と年齢のそう違わぬ、叔父そっくりの顔の私の従兄は、ずっと彼と仲が悪かったはずなのだが、いつになく上機嫌で声を掛けた。

――叔父さん、ええなあんたは、毎日二百回忌やったら引っ張りだこやわ。

叔父も和やかに答えていた。

――へえもう、私、普段はゆうれいみたいなもんで気の毒なひとやで、はは、はは。

やがて二十人はいる僧侶の半分が実は二百回忌に蘇ってきた死者とここで判る。つまりこういう状態を、混じって来る、というのである。

それなりに座が落ち着いて来たあたりで若当主がビニール袋を手に再登場しそこから写真を摑み出して撒き始めた。それから出来るだけ投げ遣りな声で、どんな趣向を凝らしたかを説明し始めた。二百回忌の目茶苦茶な行為は実際にいくら気合をいれて行っていても、表面的には単なる洒落や冗談のように表現しなくてはいけないのだった。

――さあ、さあみなさん、もう、うちはええ加減な、アホな家で、さて、家は八方に建て増しをして、まるで短足の蛸のようですし、墓も好きなようにこうしまして、たいがい、目茶苦茶しました。まあ、どうでもええけど。

墓の写真を私達は拾い上げた。実際に行っているとまた時間が変になるのでその趣向は結局写真で見るだけになった。――ある墓は墓の前に水を引いて噴水が出ていた。その流れには小さい水車が掛かっていた。別の墓の上には大岩石を刳《く》り貫いたような被いが掛けられていて、それは本物そっくりのプラスチックだった。プラスチックの上には型押しでバイヨンの仏塔のように、仏の顔が幾つも盛り上がっていた。ある墓はサントリーのペンギンそっくりのつくりもので取り囲んであった……。

——はあペンギンペンギン、ここまで目茶苦茶した上に写真だけ見せてすいませんなあ、みなさんその上墓ばかりか今度は料理にも目茶苦茶したりました。こういう頭の腐った法事はもう死ぬまでないで、アホな事をええ加減にやり切ったりましたわ。料理の箱までもしたいようにして。もう思い残す事はありませんなあ。今度の二百回忌には私は客でここに来ますつもりで、その時に人のした事を思い切りけなしますわ。まあ私以上の事は誰も出来ませんやろから、どうか覚えといて下さいもし。

さり気なく話そうとしながらも結局若当主の本音は出てしまっていた。

——なんとまあ、ええ加減な料理ですので見てやって下さい。

勝手口には魚毒と書いた木の箱が積み上げてあった。もともとは魚安という名だったはずなのだが、料理屋の名前を変えてみたかったので変えさせたという。百個以上ある箱の板の中から、フナムシがぞろぞろ出てきて庭を歩いていた。

いかにも二百回忌らしく、女達はみんなすぐに席に着いた。男ばかりがその木の箱から異様になよなよした態度で料理を取り出して、真っ赤な盆に載せ並べ始めた。見ると吸い物以外は全部同じ物が二皿ずつ付き、その一方は本物そっくりに作ってビニールで密封された金花糖であった。ここぞと若当主が吹聴した。

――鯛の金花糖ならなんぼでもありますけど酢の物の金花糖はありませんやろ。私が工夫してこうしました。料理屋の箱もみんな作りかえさしました。流木もってこいていうて海の流木で作って、全部フナムシが出るようにしてもろうてあります。皆さん方にも御協力戴いてますが。まあ別にどうでもええでお礼はいいません。出来るだけ目茶苦茶していって下さい。

僧侶には別室に一応真面目なお斎《とき》を用意したらしい。が、私達は金花糖と御飯と魚を金メッキの先割れスプーンで食べたりしなくてはならなかった。このあたりではまず手に入らないような新しい魚の刺身が十種類出ていても醤油は一滴もなくて、ケチャップとマスタードが添えてあったりする。が、トンガラシ汁で味覚が麻痺してしまったので特に苦にはならない。

外では近所の人達が蔵から出したお雛様やラッパ型の蓄音機、祖父が生前大事にして、自分で書込みをしていた謡《うたい》の本等を引っ張り出して燃やし始めていた。二百回忌は大体百年に一度行われるので、その度に蔵の中のものを燃やしており、このために本家にはまともな骨董の類が殆どなかった。

会食が終ると、人々はそれぞれのウィングに散って行こうとした。が、死者はもうどんどん蘇って来ているので、仏間自体は少しも空かず、一層混雑して来た。

移動しながら、私は祖母の姿を捜し始めた。――死者が現れるのには、その人を知っている人間が出来るだけ多くいた方がいいとも言う。母方の祖母は交際の広い人で娘の嫁ぎ先であるこちらの親戚ともよく会っていたし、普通の法事にもきちんと出ていたから当然知人は多い。無論、この二百年間に死んだ人間は大体現れるのだが、現れ方に実は差が出るのだ。印象の濃い者や大往生した者は殆ど元の姿で現れて膳のものを残さず食べたりする。が、あまり孫に良く思われていなかった者や若い内に出奔して異郷で死んだ者は、他人の姿と重なっていたり季節外れの着物を着ていたり、時にはもっと現実離れした様子だったりする。七センチ程になって醬油差しと並び、ずっと愚痴ばかり言っていて法事の間に、猫に食われてしまったというケースさえあった。

私は混雑した変な形の建物の中で、最初は口も利かないでただ人を押し分けて進んだ。祖母は母方の人間なのだから、盆の間や正月の間よりもむしろ葬式の間にいるのではないかという気がしたのだったが、そこへ辿り着こうにも方角を選ぶ事もままならない。生まれてから今まで何人もの身内を亡くしているはずなのだが、ヨミガエリらしい人は知らぬ顔ばかり。いやそもそもヨミガエリかどうかの区別さえ定かではなく、ただ赤い喪服を着ていないから死者なのだろう、と思うだけの事だ。死者は大抵生者に印象深かった衣装で現れていた。が、二百回忌に出席したという事だけを記憶されている死者は、当然赤い服で出て来るからそうなるともう区別の付けようがない。

あまり混んでいるので、時々何をしに来たのかも忘れてしまいそうになる程である。無論、祖母の事はずっと念頭にあった。だが、誰と誰と誰、と数えている内にすっかり焦ってしまい、我に返ると知らない人に肩を叩かれていた。顔を上げると、四十代半ばに見える、不健康に痩せてくたびれた男がいた。口の悪い叔父と感じの似た、顔の小さい中背の男だった。両頬に十個程も大きなホクロがあり、小さい顎が、しゃくれている。妙にインテリ臭い声でボクだれかわかるう、と優しく言う。知らないと答える。相手はげっそりした表情でまた一層優しく言う。

――ヤヨイちゃん東京で貧乏してるのやて聞いていたわ。

土地の言葉ではなく、殆ど京都弁だ。どす黒い顔に異様に優しい微笑みが浮かぶが、優しくは見えずただ落ち込んでいるだけの人に見える。それに私はヤヨイという名前ではない。

――はじめまして、私、ヤヨイではなくて、センボンですけど。

その時、喋ろうとしてももう土地の言葉が出て来なくなっている自分に気付いたのだった。すると相手はまた異様な優しさを一層激しく出して、殆ど悲しげな声になって問いかけてきた。

――いかんなあ、言葉がきつなってしもうて、女の人がそれではいかん事やなあ。ヤヨイ、きみボクと結婚して半日で逃げ帰ったやろ。杯が済まん内に出て行ってしもたんや。忘れたんか。

私はぞっとした。そこで強いて冷静にきっぱりと言った。

――私は昔からセンボンです、ヤヨイではありません。はじめまして。

相手の優しさが脅迫じみているので、棒読みのような言葉になってしまったのだ。が、それでも相手はこちらの悪意に気が付かない。

——十八年前ではなあ、忘れるわな、あれから大学に行ったのやなあ。そう言えば前も肥えてたけど、今は、また、物凄いなあ。

——違います。関係のない事を言わないでください。

相手をひるませようとし、ふと、思い付いて言った。

——大体あなたは生きているんですか。死んでるんですか。

——や、ボクは生きてる。

が、そういう男が着ているのは太い灰色のズボンと薄汚れた白の開襟シャツであった。私は人混みを掻き分けてなんとか離れた。そこで自分の親の事をふっと思い出した。が、向こうからも別に声は掛からない。向こうは私をまったく忘れてしまったのか。或いは子供の頃に別れた人を捜すのに、夢中なのか。

いつしか移動のついでに親の世代の、六十前後の男女の姿を目で追っていた。が、どれが自分の親なのかこうなると顔も体型も思い出せない。見ると六十位の人は誰も、一様に死者に縋《すが》りついて甘えている。それも親ではなく祖父母や叔父伯母、年上の姉などに不遇を訴え続ける。寝転がって泣き、失禁して叫んだりするのもいて妙に目立つ。その年頃というと、親はまだ生きているケースが多いだろうにと思う。そこで、そうだ家の親だって子供だったのだ。いろいろ辛かっただろうなあ、と妙に納得する。が、いくら納得してもどれが自分の親かは判別出来ない。

生者達が目当ての人を見つけてそれぞれの間に落ち着いたらしく、混雑は少しましになった。私は漸く人波の泳ぎかたが判り、盆の間正月の間葬式の間回忌の間と、あちこちを捜して歩けるようになった。祖母はなぜだか祭の間にいて、銀鼠色《ぎんねずいろ》に白で抽象化した、殆ど草の葉のようにしか見えない燕の模様のある初夏の着物を着て、薄茶に焼き物のうわぐすりのような緑色が入った芭蕉布《ばしょうふ》の帯を締めて、ごく薄いベージュのレースのパラソルをたたんでいるところだった。父方の祭にも来た事があったのだろうか。交際の広い祖母だったから、娘も娘婿も半ば絶交状態になっている本家の、大して重要でもない法事にまで全部出ていた。ヨミガエリに混じって来る、などというものではなく、本来もっと堂々と出てくるはずの父方の人達よりも、はっきり現れていた。祭の間は三十畳程の広さだったが、そこに座り込んで泣いたり笑ったりしている生者や死者達に向かって、祖母はステージに立った人のようにまんべんなく笑いを振りまいていた。そこへ新しく入ってきた私を見つけると非常な親しみを籠め、態度と発声は大変上品に、ただ言葉遣いだけは乱暴に声を掛けた。

——今日はみんな来て楽しいこと。あんたどこから来た。遠かったか。

どこか一点ざっくばらんなところがないと人に嫌われてしまう、と祖母はよく私に説教した。でも私は声も動作も全体が下品で言葉だけが切り口上になったりしてそもそも祖母とは顔も似てなかった。その上顔形は確かに沢野似だが、沢野にも私のように下品で憎さげな態度の者はひとりも、なかった。

私は祖母の顔をじっと見つめた。とっさになんと言っていいのか判らなかったが、親と縁を切った事が喉元まで出掛かっていた。泣きそうになっていた。が、どういうわけか祖母はけろりとしていた。

――私な、ナゴヤからタクシーで来た。まあ疲れました。

どうも生前と調子が違うな、とその時に思った。生前の祖母は私に会えば常軌を逸した喜び方をした。すぐに嬉し泣きの泣き真似をし、私が二、三歳の頃の話ばかり繰り返したものだ。それが、今は、駆け寄りもしない。

――タクシーの運転手が道を知らんのや。喉が渇いてもジュースしか売ってないし。

初対面の人間にいきなり私的な事ばかり喋り、後は自分のペースに巻き込んでしまうというのは祖母のやり方である。が、彼女は孫の私にそうしたのだった。無論その時点で私は祖母から忘れられている事にも気付かず、ともかくいつもの調子で受け答えした。

――なんでナゴヤからタクシーやの。電車できたらええのに、だってそんな事したら疲れるやろ、腰にひびくし。

私は期待した。ここで祖母が生前の祖母に戻ると。つまりそんなふうに孫からずけずけいわれると、祖母は大甘の態度を豹変させウルサイッと怒るはずなのである。ところがその期待もまたはずれる。彼女はなぜか甘えるように肩を揺すり首をまげ澄ました声で言った。

――だって電車の中は下品な人が多いで、それに私、みんなに愛嬌振りまいて疲れるから。

——振りまかなんだらええのや。

とさらに乱暴に言った。すると祖母は、いきなり我に返ったという動作や表情をした。私は絶望した。なぜなら、それは赤の他人の前で話題を変える時の態度だったから。

——あっ、あんた誰や。あ、あんたか、いやいや違うわ。あんたさんはまあええ制服やこと。私、知ってるわ。あんたとこの学校はサッカーが強いのやてねえ。

初対面の人間に向けるとびきり上等の笑顔を私に向け、それから呆れ果てたように周囲を見回す。これも計算した演技だった。何のデータもない制服姿の若い人に向かうと、祖母は必ずその出身校の運動部を褒める。サッカーと言って変な顔をされると野球でしたですね、とすぐに変える。相手が変な顔をすると無意味にはしゃぎ始める。

——あれ、ここはどこ、ここはどこ、そうやここはタキオちゃんのとこや。でもタキオちゃんは幾つや。それにタキオって誰や。

私は泣きながら回忌の間に逃げた。比較的すいているそこで休むつもりだった。ちなみにタキオは祖母の初恋の人の名前である。

二百回忌にはただ死者が蘇って戻るとだけ聞かされて来た。が、百年毎の法事は、まさに生きているかのように戻って来るという言い方でしか伝わってなかった。或いは人々に期待をさせて騙してでも来させるため、そのあたりを伏せてあるのかもしれなかった。いくら戻ってきていても会ったとは呼べない場合があるのだと判った。そもそも死者がナゴヤからタクシーで来られるはずがないのだった。いや、死者本人はそう思い込んでいるのかもしれなかったが。

　回忌の間にも知った人が殆どいない。私の目に、ただリンゴを剝いているシネコさんだけが目に入った。なるほど彼女ならば、まさにここに現れるだろう、と納得した。父方の実家で大きな法事だとか寄り合いがあると、必ずシネコさんがいてリンゴを剝いていた。だからシネコさんの記憶は誰もが鮮明に、しかも特にリンゴを剝く姿だけを覚えているはずで、この姿で蘇って来るという事は大抵の者が予想しているはずであった。それ以外のシネコさんの姿というと、実は、まったく記憶にない。私だけではなく、多分他の人々にもないはずである。例えば普段の法事や寄り合いで、ほらシネコさん、と誰かが言うと、ああ、あのリンゴ剝いてござった、と誰かが答えるだけだ。――シネコさんは生前一年の三分の一をこの本家で過ごしていて、確か一度後妻に行ったという事なのだが子供と仲が悪く、他県で死んだとかで、いや、そのあたりの事情さえはっきりとしない。また、シネコさんは父方の祖母が死ぬ前の何年かを、何人かの付き添いのひとりとして看病してくれたはずなのだが、そのときもリンゴばかり剝いていて他の用事は出入りの人がしてくれていた。そもそもシネコさんとは誰かさえ判っていない。出入りの人なのか親戚関係なのか知っている人々はもう皆死んでしまっていた。無論二百回忌だから事情を知っている死人も来ているはずなのだが、死人の喋る事はその場限りだし、シネコさん本人に聞いたって何を言うかは、判らないのだった。

回忌の間に座るとすぐ涙は引き、私は退屈した。仏間に戻ってみたら、いつも家自慢ばかりして分家を下に見るという若当主の長男が、未成年のくせに酔っぱらっていた。若当主の息子はまだ十代だし痩せているので、一応可愛く見える男の子だ。その日は自分自身もめでたくなるため真っ赤な喪服を着て化粧をしていた。自分で工夫したのか喪服は女もの。しかも和装である。アイシャドウが赤で半襟も赤。床の間にしなだれ掛って足をばたばたさせながら、甲高い声で思い付きを怒鳴っていた。

――ええええええ、家の中興の祖はカニデシ・ナガモトヒコ、それがまた私の代まで五代も続きました。この蔵を掃除しますとっ、蔵のたかが大掃除くらいの事でございますが恐竜の一匹や二匹今でも出てまいりますとも。それにそれに、私の家はもともと本陣でございましてえ、それ故に江戸時代からファクシミリを備えっ。ははは、これだけの二百回忌出来る家があるか、ええ、これだけ栄えためでたい盛大な家がっ。

いくら目茶苦茶な事をしても普段の地は出てしまうから結局は夢中で家自慢をしてしまっている。が、派手な話や馬鹿な事という普段そのあたりではもっとも嫌われ妬まれ嫌がられる事を堂々としているため、それは一応ふさわしい事として受け入れられていた。一方、こちらはもう二百回忌そのものにしらけてしまっていた。単なる暇潰しに盆の間に入ってみた。

すると思いがけなく、盆の間には父方の祖母がいて団子を丸めていた。生きている間は真面目で暗かった祖母なのだが、どういうわけか蘇った彼女は、異様に明るかった。

私の知らない明るい面を誰かが思い出して、それで明るい祖母というのに対面出来たのかもしれなかった。丸めている団子はお盆のものであった。

盆の団子は作り方が決っていた。直径一センチ程の太さのひも状にした練り粉を短く切って、いくつも手の上にのせ両手で転がし、正しい球形に素早く形成していく。そんな団子を祖母は怖い顔をして大きな分厚い掌の間で一度に三個作った。が、二百回忌のその日、見覚えのある大きな瀬戸物の鉢の中に帰って来た祖母は両手を突っ込み、指の間から、練った米の粉をぐにゅぐにゅはみ出させて、爆笑していた。

——盆の団子などというものはな、アヒルの形にしてみて、蛇の形にもつくったるわ。仏さんはびっくりして生き返るのやわ。きゃははははは。

生前に真面目くさっていた老女ばかりがそこに集まっていた。彼女らは変にしなしなした笑い方で幸福そうに言った。

——今日は二百回忌のことやでまあ、ひとりがひとーつずつ歌を歌うわなあ。

彼女達は固まって掌を畳に付け、せっせっせのような恰好をしながら何か喋り始めた。うわあうわあ、うあ、うあああ、どうびわよ、うわあ、としか聞こえないのだった。が、よく聞くと喋っているのではなく、旅姿三人男を斉唱していたのだった。ひとりだけかたくなに黙っている人がいたのだが彼女はなぜか、娘のような振袖の着物を着て丸髷《まるまげ》を結っていた。祖母が信じられないようなだらしなさで笑い崩れて言った。

——この人な、誰も知らんし、歌も知らんし、古すぎるの。おやあんた誰や。

——私、孫のセンボンです。

——ええええ、そんな孫あったかいな。

生前付き合いの薄かった人のヨミガエリを、漫然と見ているのは結構楽しかった。祖母は何十人も孫がいたから、生前も私など覚えていなかったかもしれなかった。

いつしか盆の間にもシネコさんが現れていた。白い大きな丸皿を二枚重ねてリンゴを載せたものを運んで来た。私を見て、にっこりと笑った。盆の間のシネコさんには私が判るのだろうかとその時は思った。

——はい、こんにちは。

——こんにちは。

——リンゴお好きですか。

——そうでもないですけど。

それまでなんとも思っていなかったシネコさんが急に懐かしくなった。が、シネコさんには私の答えは気にいらなかったらしい。薄く、乾いた、ひ弱そうな額に癇筋《かんすじ》を立てて座り直し、一気にまくしたてた。

——あれまあ、可愛げのない。こんなええリンゴ山盛りにしているのに。ほれ、見て、このお供えのリンゴだけは私がしませんと若い者にはできんし。そうか、あんた、沢野の嬢ちゃんですか。

——はい。既に嬢ちゃんとは言い難いけれども、沢野の者です。

——何年生やったか。

——三十七歳です。

ふんふん、とシネコさんは有能そうに頷いて言った。

——それでしたらもう中学に行かんといけませんな。算盤《そろばん》はこの頃では学校で買うのやてな。リンゴあがりますやろ。こういうリンゴはここの御本家にしかありませんもの、まあまあ御立派なリンゴやこと、ゴがあって形が大きいて色が薄うて、こういうのが高いリンゴですやさ。いっくらでもいっくらでも食べて下さい、押し入れの方にもまだリンゴ箱が、たんとあって。

ゴがある、というのは嵩がたっぷりしているという方言である。

——さあ、さあリンゴリンゴ、はい、もうはや、一個剝けましたわ。色が変わりますで。

勢いに負けつつ、おどおどと断る。

——あのう、私、今、あんまり。

シネコさんは素早くまた座り直した。そうして何度も座り直しながら、にじり寄ってくる。

——まあ遠慮などして、あんたさん二百回忌ですやろ。遠慮する程純情やったらとうの昔に嫁に行ってますやろ。リンゴなと食べなんだらいかず後家はやってられんわいな。そら、リンゴ、リンゴ。

こちらにその一片をぶつけかねない。

――あ、……いただきます。

すじだらけの生大根のような味のリンゴ一個を、シネコさんは大体三等分にする。フォークもなにもないから手で取ってかぶりつくしかない。生大根というより生の芋のようだ。思いきり噛んでいると取り残しの種の、縦半分に切れたのが歯茎の間にいきなり突き立ってしまう。

――……ふっふっふ、なあに剝いたら剝いただけ食べるわさ。学生はリンゴ好きなものや。まあよう食べて賢いおとなしいこと。私も若い頃は百貫目のええ娘でした。

シネコさんは誰にでも同じ応対をする。彼女が覚えているのはリンゴの事だけであった。食べても食べても無くならないリンゴに疲れ果てて、やがて正月の間に私は出向いていた。――この場において、退席する時に挨拶する必要は一切ない。普段と違うのだからどんどん思うようにしてもいいのである。正月だというのにそこにもまた祖母がいた。紫がかった灰色のミンクのコートを羽織り、純白の手袋を脱ごうとしていた。私を見た。またとんちんかんを言った。

――まあ、御近所の奥様。

――ああもう、……私、あんたの孫。

――まああそしたらばあなた、どこの孫さん。

――そやから、私、私……あんたさんの孫さん。

——そーしたらあーんたさーんて、まーごさんはどーなーたー。

祖母は生前、半世紀程も使い続けたギャグを放って、コートの袖を袂のように使い顔を隠した。また泣きそうになって、私は祖母の手を引いた。

——私、センボン、なんで正月やのに家におらんの。

正月の祖母のところへ盆の祖母を連れていくと、合体して存在感が濃くなり私の事を思い出すかもしれないと思い付いたのだ。が、手を引っ張っているうち祖母は縮んでいく。すると、——。

若当主の姉のカカコさんが慌ててほうきを持って走ってきてあたりを掃き始めた。何度かよそで会ったが、刺のある人でみんなから煙たがられていた。でも漸く言葉の通じる人間に会ったと思ったので、私は心から嬉しくて話しかけた。

——ああ、お久しぶりです。センボンです。もう随分御無沙汰して……。

しかしカカコさんは私を睨み据えて、きつい口調で判らない事を言うのだった。

——ヤヨイ、ここ新聞紙でもなんでもええでばんばん叩いて、この辺は先祖が縮むような時間になっているで。

私はびっくりして叫び返していた。

——ヤヨイって誰ですかっ、私はセンボンですけど。

カカコさんもびっくりして叫び返した。

——あれっ、あんた、ヤヨイさんとちごうてかっ、そしたら、どこのどなた。

——私、センボン、ヤヨイではありません。ぜったいに違います。私をヤヨイと呼ぶさっきの男が、戻ってきては困るので必死で主張をする。が、カカコさんにはその焦りもまったく伝わらず、ただぼんやりと自問自答し始めたのだ。

——あああ、ヤヨイ、違う、誰、だーれ、というと、私の方の嫁の従兄かいなー。そうか、ヤヨイはわがままものでどこもつとまらんだ。ヤヨイ、ヤヨイ、いや、ちーがーうーわーなーあ。

ヤヨイという名前をかき消そうと、必死になって、私は口を挟む。

——そうそう、私、センボンです。そしたら私の方の嫁、って一体誰ですか。それよりか、嫁の従兄は、カカコさんの嫁ですか、だいたい、なに、それ、嫁って、なに。

相手は自問自答の邪魔をされた事に腹を立ててやっとこっちに視線を戻して言う。

——あ、あああ、気もつかんと、私、すいませーん、えらいきやすうして、えらい頭が痛いわ。なんで偉そうにいうたのやろ。それで、どこの先生ですかあんたさんは。

反感剥き出しで異様に悲しそうな声でねちねちと謝る。すると、この人はカカコさんではなくて私の母ではないかという気分がどこからか湧いてきていた。試しに言ってみた。

——あのうもしかしたらあなたはワタクシのおかあさんですか。

——や、そんなはずはないわ。だって私、息子の嫁を持って好きに使うておりますけど息子は一切おりませんもの。生んだ事もないわ。それに娘はみんな美人やし、嫁に行ったらもう行ったきりやし。

目茶苦茶を言うと、カカコさんはどんどん行ってしまった。入れ替わりに子供のような袖の短い赤い喪服を着て、父方の伯母達が五人、筒袖を無理に振りながら赤いへこおびをひらひらさせて走ってきた。

——センボンちゃんいらっしゃい。おじいさんが出てきたで。

伯母達は口調まで子供に戻っていて、私の手を引いた。

——おじいさんが湯豆腐をするていうとる。

私は慌てて節分の間へ走って行った。父方の祖父の湯豆腐は食べた人全員が覚えていたため、異様にはっきりと出現したらしい。湯豆腐というと普段の食物のようだが、祖父が作った場合だけは非常にめでたいのだった。それは節分にしか作ってくれなかった。

節分の間は冬になっているので、私は喪服の上から冬ものの赤いセーターを被った。そのあたりにはもうひとだかりがしてすでに出入りの人が上がり込んでいた。六畳程の部屋に十数人。百歳で死んだはずの祖父が薄い毛布を何枚も重ねた炬燵の上に、炬燵板を置き、台所に声を掛けているところだった。

——カカコちゃん、おねえさん、でんねつき、もってきて。

人々が湯豆腐の事ばかり思い詰めていたため、祖父は湯豆腐の鍋の前にしか出現してなかった。その上湯豆腐を作る手ははっきりと見えても、声や着物の柄には存在感がなかった。祖父には、私が判るらしかった。

——センボンか、きたか、センボンか、ふるい、本を、やろか。

——いらん。

反射的に子供の頃のそっけない声が出てしまっていた。祖父を見て私はもう満足していた。回らなかった部屋はまだあったが、これでもういい、もう帰ろうという気分になった。

祖父は沢野の目鼻だがホクロがひとつもなく、鼻の穴も小さく、美男子であった。ただ遊び人で、湯豆腐の美味しい作り方も祇園で覚えてきたのではないかと言われていた。彼は、昔と同じような、相手の意地悪根性を刺激してしまう甘え声で、また台所に向かい、カカコを呼んだ。

——おねえさん、カカコちゃん、醤油はなかったかな。

そこでカカコさんが眉間に皺を寄せて入って来て怒鳴った。

——まあなんやっこれは。分家のものばっかりが当主に挨拶もせんとっ。

カカコさんは若当主の姉なので嫁いでいてもずっと本家の人間という意識があり、口癖のように、分家は頭を下げんか、分家も出入りも付け上がってと普段から言うという話だった。他にも筋を通すと言いながら人を苛めたり、何か尋ねただけで怒り返すそうだ。そう言えばその日もめでたい赤の服を着ないで、普段の割烹着だ。口調も変わらない。足音も荒い。

——だれがなにがどこが二百回忌やっ、私はこんなふざけた事に付け込むもんは嫌いやっ。寄付したと思うてか、あああもう、分家が、付け上がって……。

　そう言いながら、一リットル入りのメーカーの醬油をどんと置き、すたすたと去る。が、台所口からまた引き返した。奇妙な欲望に負けた目付きであった。やがてきちんと座っているおとなしそうな女性に向かって正座をすると、いつのまにか、顔は卑猥なジョークを言おうとするかのように弛緩していた。

　――いや、お久し振りそりゃあ、まあ、ええわねえ、……あんたとこは、ええわねえ、家《うち》の世話になって、家の子供は地元の私立の学校へ行って、あんたとこは東大に入ってますわねえ。だけど家に借金いくらありましたやら、私とこは戦後の難儀で土地も取られて、それでもあんたらに謝れとも言わへん。息子偉そうにさしてすいませんとは言わせられへんもんねえ。別になんともおもうてませんで、思うてへんから面白がって冗談にいいますのや。それこそ二百回忌の冗談やわ。面白いなあ、はは。

　それで気が済んだのか出て行こうとした。が、聞きつけた若当主が走ってきた。激怒していた。

　――カカコ、普段の事をしたな。オレは見たぞ。今オレは見たぞ。

　カカコさんは不満気に眉をぴくぴくさせたが一応下を向いた。が、若当主の怒りが治まるはずもなかった。

　――おまえはっ。二百回忌で俺も我慢しとんのに、趣向やとおもうてっ、ずっとこの分家の馬鹿どもを我慢したっとんのに。ヨメに行ったようなヨソのもんのくせに怒りやがって。カカコ、お前、お前、お前。

若当主は悪口を言い出すと止まらなくなるという話だった。

――鳥に、なれ、カカコ。

あたりの空気が節分より寒く冷えた。だが、若当主は止まらない。

――なれ、カカコ、お前、鳥になれ。次の二百回忌も鳥になって出て来い。お前はめでたないぞ、俺はここをめでとうしようと思うてやな、蟹鴨根《カニカモネ》の喫茶店には男のフェミニストまで呼んであるのや。あの、めでたい、はやりもののフェミニストを、三人までギャラを払うて、他には市会議員まできれいに化粧さして、男のフェミニストに仕立ててある。

全力でカカコさんは切り返したが、結局唾が飛んで悲鳴のような声になった。

――はっ、議員は来ますわさっ、なにが趣向や。家というたら嫁まで合わせればオトナ十三票あるっ。二百回忌でのうても議員はよべますっ。

――あれっ、おかさんっ、普段の事を言わんといてっ。正義の事ばっかりっ。

度を失ったカカコさんへ、いきなり真っ赤に染めた天使の翼を持った若い女が、走り寄った。本物のいわゆる、嫁のような口振りだがどういう続柄にあるかなど二百回忌の最中に判るはずもなかった。出入りの人々が百人程も湯豆腐を蹴散らして走り込んで来た。はやしたてた。

――鳥や鳥や鳥や。げえる。げえる。げえる。

たちまち百人が烏経《からすぎょう》の要領で踊り狂い、叫び交すのだ。

――げえるの鳥が出るぞ。

――鳥を出してしまえ。

――げえる、げえる。げえる。

鳥になるというのも確かに昔、聞いた覚えがあった。二百回忌中の禁を破って、普段のめでたくない事を言ったものを、鳥にして飛ばしてしまわないと、家は三日以内にもう一度二百回忌をしなくてはならなくなる。それでは本家も分家も共倒れに破産してしまうから、大切な身内であってもその時は鳥にして飛ばしてしまうという。冗談のきつい叔父が、鳥葬にするぞと叫び始めた。或いは本当に鳥葬にされてしまうのかもしれなかった。

私がどういう態度を取ろうかと迷っている間に人々はげえるを叫びながら、手に手に真っ赤な蓑や真っ赤な笠を持って来てカカコさんの体を覆ってしまった。すると体の嵩が次第になくなり、赤い布が一枚残るだけで、蓑も笠もカカコさんもその布の中に消えてしまった。一瞬しんとしたのだが、真っ赤な恰好の若当主は平然と言った。

――さ、カカコが鳥になって出るとこをみよ。

カカコさんと若当主との普段の姉弟仲について考えつつ、私は人々と庭に出て待った。暫くすると裏庭と一続きのようになっている竹藪のところで、ごそごそと音がして茶色い鳶《とんび》に似た、なんという事もない、ただ大きさだけは人の背丈程の鳥が一羽飛び出て、そのままよろよろと歩いて井戸に入った。

同時に若当主は奇声を発して頭を抱え、井戸の側に蹲《うずくま》った。わざとらしく言った。

——みなさん、私つくばいの石になります、姉を鳥にしてしもては、もうあかんわ。

棒読みのように何の実感もない声、彼は蹲った尻をそろそろと振った。

——はよしてっ、緊急事態やて、扇動ばあさんらにハイヤーで来て貰うてっ。

若当主の妻が緊張した声で誰かを走らせ、電話を掛けさせた。程なく、門の前に車の音が聞こえ、赤いポルシェから駅で見たおとなしげな幸福そうな老女達が、それぞれ扇を閃かせつつ、次々と降りた。若当主は頭を抱えながらも緊張を解いてちらりと彼女らを見た。すると全員がそこへ駆け寄り、蹲った若当主を囲んで、一斉に扇で空気を掬《すく》っては零《こぼ》すような動作をし、囃し立てた。

——ああめでたい。もうめでたい。

——鳥やらない。鳥、ない、ない。

暫くすると若当主がすっくと立ち、顔を紅潮させて宣言した。どうやら厄落としが出来たらしい。

——それでは最後の趣向をお目に掛けましょ。まず、こんなええ加減な家を壊してしまいます、は、は、は、は。

八方にウィングを伸ばした急拵《ごしら》えの家、その周囲に消火器に似た器具がいつのまにか出揃っていた。雨合羽を着た人々が器具を逆様にして、レバーを押した。消火器の白い泡に似てはいるが妙に勢いがなく粘る液体。薬臭さや刺激臭もまったくない。卵の白身のような、或いは酢油のような匂いがその噴射された液の中から立ち上がってきた。が、動作は消火訓練の時と同じような真面目さで行われた。なぜか見物の中には忍び笑いが、始まっていた。誰かがこう言った。

――わし聞いとるんや。もう。ふざけとんで。

薬は消火訓練の泡よりも重く、まんべんなく家に降り注いだ。家の屋根を越え軒から滴り、壁を生き物のように這い、家全体をコーティングしてしまうらしい。

私がそれまで木やコンクリートだと思っていた家の外壁の、輪郭がどういうわけか頼りなく震え始めていた。家の壁のところどころが透き通っていた。するとその下に紅白や茶色と黄の縞模様の様々なむらが、雨の日の硝子窓越しの景色のように浮かび始めた。――なんという事か。

家が蒲鉾で出来ている事に私は気付いた。いや、時間が経てば蒲鉾に変化するような素材で出来ていたのか。――せっかく作った二百回忌用の家を壊す。しかもめでたくも目茶苦茶に壊し、それで人々を楽しませるのだ。二百回忌の重要な課題として。

家の全てのウィングの窓が明け放たれ、中へも薬が撒かれた。さっきまで人が何人のってもなんともなかった畳が透明になり、その下には敷き詰めた笹蒲鉾の焼き目がぼんやりと、しかし延々と現れていた。いつしか機敏な動作で、扇子を持った老女達が走り寄った。競争で口走った。

──さあ最近はなんでも便利なようになってな、これここに建材もそこそこ丈夫でな、家も建てられて、それで薬かけると蒲鉾になるもんがありますのさ。

──いやー、めでた。蒲鉾の板のとこで、家建ててあるのと違うやろか。

──いやー、めでた。どんどん便利になって、生きな損な時やな、長生きして。

若当主の妻はもてなし顔になり老女達の間に割って入る。

──いえいえ、これは薬掛けると家の皮がむけますの、蒲鉾は中に入ってます。こうやってむいて。

まず老女達に配る。

──なんとまあええ匂いやこと。こういう世の中や、死ぬまで生きんと。

──いやー、めでた。死んでも、生きた方が。

水分で最中の皮のように溶けた掛軸の紙を手で押さえて、真っ赤な色を失い薄いゼリーのように透けてしまった壁の皮を、若当主の妻は日焼けの皮のようにぴりぴりぴりぴりと、むいて見せた。中からは確かに魚肉と粉の匂いが漂ってきた。軽いパイプで家の骨格を組んでおいて、間に巨大な蒲鉾の壁を作ってあるらしい。蒲鉾の隙間になったところから薩摩揚げがぼろぼろこぼれて出た。若当主の妻は物差しを手に持って包丁でどんどん壁を切り取ったり、また鉄の箸で薩摩揚げを拾い出して盆に載せ他の人達にも配り始めた。老女達は見当外れな褒め方をしたので照れ隠しに笑い、仲間内で喋った。

──中へ入って行って食うてやろか。

そのまま嬉しそうにお互い入る順番を譲りあっていると、その譲りあいと含み笑いの集団を乱暴に押し退け、酔っぱらった僧侶が衣の袖からにゅっと出た両腕を、まずアトムが飛ぶ時のように直角に曲げた。だーっと叫んで壁に走り寄り、跳躍して頭から壁の中にめり込んでいく。しかもそのままどんどん小さくなり家の壁に入り込んでしまう。溶けるように吸い付くように蒲鉾の壁に吸収されて、後には虫喰い穴が残るだけだ。虫喰い穴を覗くと小さい穴に豆粒のようになって固まった彼の体が入り込んでいた。最初は下半身だけが元の背丈で、壁の外に、なぜか植木のような肌合いになって直角に突き出していたがすぐ吸収された。やがて虫喰いの穴の底からは、豆粒のようになった僧侶の、蒲鉾を喰い進むらしい歯の音だけ、ごく微かに聞こえてきた。

——ああもう、そこは人がおるで、取ってしもて。

若当主が指示して人間が入り込んでしまった蒲鉾を取り除けさせている。

——怖い事ない。全部取ってしまうし、生きた者しか入らんで大丈夫や、明日一日風呂桶に浸けといたら人間はふやけて元の大きさに戻ってくで。

生きた人間だけが中に入り込んで、虫のように喰い進む事の出来る蒲鉾の家、死者は蒲鉾が嫌いなのか、それとも好き過ぎて入り込めないのか、次々と両手に持たされる薩摩揚げに交互にかぶり付きながら私は考えてみた。が、トンガラシ汁で馬鹿になった胃は、まるで一生分の薩摩揚げを喰っていけとでもいうように咀嚼を促し、様々な考えはその味に溶け込んでしまう。舌の感覚は一応元に戻っているのだから二、三個で飽きそうなものなのだが、あらゆる種類があるのでいくらでも入る。家の外壁に保温効果があるのかどれも揚げたてのように温くて、紫蘇の葉や海苔を後から巻き付けてあるので手もさして汚れないし。グチ、ハモ、アナゴ、骨入りのイワシ、人参、しいたけ、チーズ、ギンナン、キクラゲ、と数えている内に、全部で何種類か判らなくなってしまう。舌先からあいまいな幸福感が頭頂へと上って来る。と、人中でふっと親と隣あわせになった。その時だけ完全に顔が蘇っていた。向こうも判ると思い込んで無理に視線を合わせた。が、夫婦同士でなにかうなずきあい無視して去った。

――ええ法事になったな。

娘よりも法事の方が気になるのだろうと妙に納得が出来た。そのくせ、親が私を見ていなかった事で、蒲鉾の味がぼろぼろに崩れてしまう気がしたのだった。血圧が下がって、座り込みかけた時、腕を掴まれていた。親なのかと思ってわざと無関心な態度で顔を上げると、そいつは最初にあった男だった。腹が立って来た。というより、怒りが込み上げてきた。男は威張っていた。

――ヤヨイ、もう懲りたな、家に帰れ。お前は、嫁やないか。

わざとらしい京都弁は止めたのか既に荒々しい地声である。自分の都合だけを言っている声だ。げそげそに痩せた顔は人込みで汗をかいたのか毛穴が開いている。ついにはこちらの肩を抱いて連行しようとした。細いくせに妙に筋肉だけ出ている、鍛えられた腕。私は、とうとう、殺意を感じた。

——うるさいっ、家て何や、それは誰の工夫や、くだらん、なんやったら、鳥にするぞ。

一時住んだ京都のアクセントに私は戻っていた。男の手を払った。

——触るなばかやろう。偉そうにしてっ、持ち上げたろやないかっ。

いつのまにか出来るはずのない事を私はしていた。ぺっ、ぺっ、ぺっ、と唾を吐きながら相手の首の皮を片手で摑んで引っ張り、片方の足で相手の向こう脛を蹴りまくっていた。それからふらついた男の腰を片手で抱え、ぎっ、と握ると両手で男の体を高く差し上げてしまっていた。

——ふふふーん、この体は四十キロないなー、私の半分やないか。

焼却炉に大きなごみでも放り込むように、私は男を蒲鉾の中に叩き込んだ。男はたちまち豆粒大になり、私の事など一切忘れたのか、ただ蒲鉾を喰い進む音が聞こえてきた。

——どーうじゃー、ぼんさんと一緒に風呂桶でふやけてまええ、わーっはっはっはっはー。

たちまち若当主が走ってきて大喜びで指差す。

——これみなさん、なんと珍しいっ、なんと、めでたいっ。これがフェミニストや。普段はこんなことありませんぞ。

扇子の老女達が集まり、ここぞとばかりに、囃したてた。

——ほれここにも珍しいフェミニストが出た。

老女達は荒縄を輪にして電車ごっこを始める。足に百足《むかで》競走の長い下駄を履いて一斉にぴょんと飛ぶ。各々竦《すく》めた首が子猫のようにむちむちしたシルエットを作り、せっ、せっ、せっ、せっ、と彼女達が歌うと、冗談のきつい叔父がその電車の前に転がり出た。何度も転ぶふりをし、起き上がった。立ち上がって腰を落とし指を鳴らし、下半身はひょっとこの踊りのように足を踏み変えながら、ふらふら先導した。歌う。いや、呟いただけだ。

叔父はついにジョージ・チャキリスのように足を上げてぱっと飛んだ。同時に、叔父の首は重なり合った花火か虹色の光る金属球のように膨れ上がって消えた。首から下だけになった体は三メートル程飛び上がって中空で何回転かし、その後全身から流星花火を連発しながら、ひょっとこ踊りの足のままで、階段を昇るように空に上がって行った。そうだ。

一昨日が叔父の一周忌だった。死病だと本人も判っていたそうだ。棺桶の中には生前の頼みで、真っ赤な喪服を入れたという話だった。

坂の下から数人の子供が登って来た。

――すいません蟹鴨根小学校ですけど。明日の給食の材料取りに来ました。冷凍車で来ましたっ。

老女達が急いで子供に声を掛けた。

――あんたら、これ市松屋の蒲鉾やに、屋根も柱も。

——ルナ・シテーの地下にいかな売ってないに。

——店貸し切りにして全部三日で作ったのや。

——ルナ・シテーまではバスと電車で行って半日掛かるに。

電車ごっこのまま、職業的正確さで褒め讃える老女。空ばかりか周囲も見えない程雲が出始めていた。空では叔父の火花が動いていた。

——雷が鳴るに。

——雷が鳴ると空でも蒲鉾が出来るに。

——蒲鉾は出来へん肥料の素が出来る。

——まあ、空がしとなって、めでたいこと。

変な男を投げ飛ばしてしまった勢いのまま、私は肩を怒らせてのしのしと扇動老女達の周りを歩き回った。彼女らを見ていると不思議とそんな感じになってしまうのであった。歩きながらいつのまにか怒鳴っていた。

——わあるい男はおらんか、わーるい男はおらんか、だあれかヤヨイて呼んでみよっ、蒲鉾のどまん中に放り込んでまうぞお。

私は若当主の妻が持っていた包丁を取り上げ、座蒲団程もある蒲鉾を面の代わりに翳《かざ》しながら歩いていた。テンポはなぜか扇動ばあさん達に合わせていた。あれも死人やろか、と誰かが恐ろしそうに言ったが気にならなかった。

若当主は下ろしたての白い足袋に履き替え、赤い衣装の上から真っ白なカミシモを着た。頭に給食係のような三角巾を被り、ひとりでそろそろと壁にたてかけられた梯子を登っていく。背中には弁慶のように何種類もの刃物を背負っている。消毒済と書かれた紙の封が、鋸や薙刀の刃のひとつひとつに掛かっている。梯子自体にも一段毎に掛かったその封を切りながら彼は登っていた。八方にウィングを伸ばした屋根の中央に立つと、若当主は封を切った武器で屋根を切り崩した。鈍い音を立ててビニールに包まれた蒲鉾が降る。結局、ずっと元のままだと思っていた母屋の中央部もフェイクだったらしい。人々は走り寄る。十人でぶら下がってひとつの壁を剝がす。壁はマットレスのようにバウンドして次々と倒れる。いつのまにこんなに集まったのかと思う程の、群衆の中に私はいた。ふと気付いてバス停のあたりまで出て下を見ると、道が見えない程に徒歩で人が登ってくる。

――みなさんようおいでで。

――これから珍しい有名人が来ますで。

門のところでも扇子をかざして、老女ふたり程が趣向を説明している。

空の上方では雷が一層強く鳴り続けた。その音と共に一族と同じ真っ赤な喪服を着た、凄まじい程の美少年が三人、地面からゆっくりと生えてきていた。

――まあ様子のええこと。

――千年にひとりの珍しい男フェミニストを、三人も呼んで。

――これこそ、竜を捕まえたようなもんや。

現れた美少年達は群衆の中で、一斉に奇術や曲芸を始めていた。ドーランを塗った市会議員だけはタクシーで来て、名刺を配っていた。彼らが本当に男のフェミニストなのかどうかは不明だったが、ともかく大喝采を浴びてはいた。その中を帰り仕度のため小走りに進みながら、私は考えていた。これが現実だという事について、そして現実と思った時にさめてしまう祖母の夢について。

雷の音が一層激しくなった。天から飛んで来たしずくが頬を叩いた。叔父の火花を溶け込ませた雨はまた地面にしみ込む。次の二百回忌にも、叔父は地面から生じ、空へ上るはずだ。

他の死者たちもぽつぽつと空へ上り始めた。雨の中に土の匂いが濃くなっていった。これからしばらくの間は、大雨のたびに、カニデシでは雨のスクリーンの中に人の影がすっと、通り過ぎたりするのかもしれなかった。

中野に帰ると当日の五時であった。預けていったはずの猫が部屋に戻っていて、さすがにその時にはどきりとした。自室にまで二百回忌が及ぶのは危険だと思えた。

猫はベッドカバーの一部を前肢《まえあし》でめくり上げて、メッシュの枕カバーで爪をといだ後、紙バッグの中に入り込んだらしく、バッグの口から肢の肉球をのぞかせて寝ていたのだ。が、私の姿を認めると同時に、ギャギャ、と叫んで走り寄った。いや、と見えてすぐさま外に走り出て行った。見ると二本しかないジーンズの上に猫ゲロが吐いてあった。子猫は消えていた。猫の身に及ぶ変化はそれで済んだ。ただ、次の日洋服ダンスを開けると、扇子をかざした老女がひとり転がり出て、一間しかない部屋をベルサイユ宮殿のように褒めて消えた。

それからも時々、買い置きのケシゴムが全部蒲鉾になるという程度の事は起こった。

なにもしてない

破傷風でもなければ凍傷でもない。ただの接触性湿疹をこじらせた挙句、部屋から出られなくなり妖精を見た。天皇即位式の前後だった。私の部屋は、八王子の旧バイパスに面している。

式の二日程前から夜は静かで、窓越しに見れば、まばらな車は、ライトを落として走っているようなおとなしさだった。連休は帰省や旅行が多く都内の人口が減っていたはずで、その影響や、警備の様子を確かめに、私は外へ行きたくてならなかった。だが両手首から先は病のためゾンビのようになって、なんとなく外出は憚られた。そもそも十日程前から手の動きもままならなくなり、滅多な事では外へ出なくなって、というより、わざと自分を閉じ込めて医者に行こうとせず、妙な充実感を覚えたりして楽しんでいた。だがそんな贅沢我が儘な遊びの中にどっぷりと浸かっているうち病状は激化し、治療して貰おうかという気になった時には、連休に入っていたのである。

救急病院の所在地は判っていた。ただ皮膚科の病くらいでという偏見があり、わざわざそこへ行くという発想はなかった。マンションのオーナーも同じ敷地内におり、普通の女子学生会館などよりはるかに面倒見は良かった。だがそのオーナーのところにいちいち行き、クスリハアリマセンカと発音するのさえ、億劫であった。億劫というより、極端な鬱になってしまっていた。

　こういう部屋、オートロックの白壁ワンルームの中で、ふさいでばかりの母親に電話をする以外殆ど口をきかず、何年もいると自分の感覚に自信がなくなってしまうのだとその時に気付いた。なんだか症状が「架空」になってくる。たえまなく痛く、奥歯や肋骨にまで痛みの移ってくる、手の皮膚の軋みがまず幻覚じみて来るし、じくじくして止まらない血液のにじみも、汗の一種としか思えなくなる。要するに痛みよりも外に出て口をきく事が怖かったらしい。

　私は交際下手な人間らしいのだが、それでも普段の買い物や挨拶には不自由はない。だがどういうわけか、病気を訴える、それも病気の皮膚を見せるという事が出来なかった。こんな事で医者に行っていいのか、とまず疑ってみたし、いや、それよりも人々が私の手に気付いた時、それをどう受け止めるかそれが私の認識とどう違っているか、そのずれが大問題のように思えたのだ。大袈裟なと言われるのが妙に怖く、どこからか石が飛んで来そうな予感さえあった。いつも、外界に接すると様々な軋轢が起こりがちなので。

　今までの人生三十余年の半分以上を占めた学生生活にしても、軽度のいじめと、登校拒否にすらなれぬ半端な欠席、それに受験ノイローゼなどに終始していた。しかもそれらがその程度で済んだのは逃避する事を知っていたからで、現実はいつも悪夢だった。同時にその悪夢のような現実から、外れるぎりぎりの場所に来た時、私は現の感覚を取り戻せた。世間でいうシカトは、私にとっては望ましい状態でしかなかったのだ。社会に出てからでも人の顔から目を逸らす等という癖は直らなかったし、今でも誰かと一緒に食事したり住んだりには困難を伴う。そのせいか別にやましい事のない状態でも挙動不審とみなされたり、散歩していても、前を歩いていた小学生の女子に急に小走りに逃げ去られてしまい、アアッ、アノオジサン、ワタシタチニイキヲフキカケヨウトスルワッ、イヤラシイッ、と決めつけられたりした。

どういうわけか、子供の目に私は時にオジサンと映るらしい。服装はともかく、体型はどうみても女なのだが。

思春期からの私の全エネルギーは、閉じ籠もりを完遂する事にのみ消費された。閉じ籠もるための様々な理由を捜し出して、出来るだけ閉じ籠もっていられる職業を選んだつもりだった。だがそれ専従ではとても生計を立てる事が出来ず、そのくせ職業の厳しさだけはついて回るのであった。私はずるずると親の仕送りを受け、それを借金と称していた。返すあて、といっても他に収入を得る方法も分からず、途方もなくロスの多い今の仕事に半ば強迫観念からなのかしがみついていた。不気味な事に今でもその借金はいつかは返せると信じ込んでいた。一方、思い切って仕事、小説を書く事を止めようとすると、急にもう大丈夫という話が出るのである。だがそれは絶対に実現せず、気が付くと十年経ってしまっていた。それでもワープロを打っている間は幸福で夢中で、今でも、一年に一度入るか入らぬかの仕事に振り回されて暮らしていた。その癖、朝起きて自分が誰で何をしているのかに気付くとまず吐きそうになった。

父は順調に手堅く事業をしていて、私がこうしていても困る事はなかった。しかし経済以外では厄介な事も起こってきた。例えばその送金の事で無関係なはずの母方の親戚から、度々激烈な弾圧を加えてきた者があり、私はなぜか、生涯その親戚の奴隷になるという契約にはまりかけたりしたのだった。なんだか目茶苦茶な話である。でも「事実」なのだ。ただ、なんでそんな支離滅裂な事になるかというと、その辺は私にはまったく理解出来ず、とにかく母は威かされて泣いていたし、私はその時借金を生命保険で清算する等という事を妄想したりした。(但し今生きているのは別にはずみではない)だがそことはいろいろあって縁が切れてしまい、今では泥沼のような悪運の強さの中で自分の気兼ねとだけ戦えば良く、身内からでさえ、ナニモシテナイモノハ風邪ノナオリガハヤイネー、などと言われ続けている毎日である。

子供の頃から続いていた外界との軋轢は今では真っ白な厚い壁と化した。閉じ籠もりは常態になり私はそれに慣れた。曲がりなりに持っていた社会性までも退化させた今、深海の底魚のような感覚になった。同窓会は私の存在などもう忘れている筈だ。無論私自身がそう仕向けて、漸く安心したという次第なのだが。

人に反応を与えそこで何か異様な葛藤が起こったりすると、この狭いワンルームに確保した自分の空間、いや、正確にはもうそこから出られなくなっている閉鎖の世界に、世間の恐ろしい風が吹いてきて何もかもぶち壊しにしてしまうような気分になっていた。そんな中で現れた湿疹であった。皮膚病まで妄想の一部にしてしまおうと押さえ込んだ。が、痒みというのは現実であるからして、結局私は負けたのである。いや一応の抵抗は試みてみた。

病気の民間療法を発見しようという楽しみに囚われ、自分の体にさまざまな実験を試みたりした。

太陽灸というのを買って来てわざと説明書にない箇所へあてずっぽうに据えた。据えてすぐ別の本で確かめると、危険なツボらしいというので一分で剝がした。四柱推命の本で見付けた五行説というのを、自分の体にあてはめてトウガラシを喰った。野菜の茹で汁に手を突っ込んでみたし、茹でたホウレンソウで指を一本一本巻いた。心霊の本を読んで観葉植物同士が喧嘩するという例を発見して、部屋中の鉢植えにお世辞を言ったり、説得もした。だが快方には向かわず、ただ悪化して行った。

ホウレンソウを巻くなどというといかにも根拠あり気なのだが、手触りが良かったというだけの理由である。冷静に考えれば爆笑ものだろうが、その時の私はそこまで原始化した自分が気に入っていた。でたらめな感覚と試行錯誤以外に頼るものはなく、自分の体や心がまったく捉えられない状態、それは無論単なる遊びなのだが、同時にその遊びを信仰し始めていた。閉じ籠もりの中にも一応保っていた論理や常識まで、この信仰の前には危うかった。快い文化喪失、というとそれでは室内のエアコンや水道は文化ではないのか、と言われそうだが、それは例えば、檻に入れられたチンパンジーかなにかが、ボタンを押せばバナナが出る機械を与えられているのと同じだった。水道から水、エアコンから湿気というのはただの現象であって、それがどういうカラクリで出るか、そしてそのカラクリを維持するために、外部でどのような努力がなされているかなどという点はサルには、見えなかったのだ。意識は原始人と同じになり、一旦そうなってしまうと、そこまで落ちた愚かな自分を客観化する事がまた難しくなった。元に戻るには大量のエネルギーが必要だったのである。

　病気が嫌で堪らないというのが本心なのだが、それでも外へ出ようとすると、「原始の世界」の方へ引きずり込まれた。

　ホウレンソウなどはほんの第一期で、ついには宗教者を自称する人々の本をひっぱり出してきていろいろ試み、効果がないのを確かめるという遊びにまで手を出していた。試みる時には大真面目だが、効かなければ却って安心し本の著者を罵る。そこで止めればいいのだが勢いが付いてしまい、他の事が出来ない。数代前の先祖だの干支だのを、ファミコンゲームのように駆使して嘘の中で遊んだ。というのも、半睡眠時に、手との関連でかやたらに痛む肋骨のあたりに、聞き覚えのない下品な罵声をまきちらす男性の声が出現していたからで、遊びだ遊びだと言いながらも、聞こえるものは気になるし、ついついそちらの方に思考が向いたのである。

自称霊能者に引っ掛かって全財産を失い、或いは朦朧たる世界から帰って来られなくなってしまった人間が私の知人には結構いた。無論私はこの「霊現象」をプロに相談するつもりは無く、だが眠ろうとすると、そいつが肋骨のところで怒鳴り散らすので目が覚めてしまう。おまけにふと不動真言を試みると、（これは頭の中で唱えて浮かんだ文字を肋骨のところにぶちあてるというイメージを思い浮かべた）物凄くいやがって痛みがその時だけ一瞬治まる。その他の真言はすこしも効き目がないのでこちらも意味ありげな気分になり、問い糺してみた。だが結局ありきたりの応答しかなく、所詮は無意識の世界で蠢いているごっこ遊びだった。しばらくすると痛みはまた始まってしまった。

　ひとりで生活し夢や幻想にのめり込むようになってからの私は、思い込みの激しい人々ならば霊現象と呼ぶかもしれない状態に結構遭遇していた。だがそれらの多くはただの悪夢の領域に止まっており、また幻覚にしても、予備知識がなければ出てこられない程度のものばかりだった。怖くはなかった。霊という文化に刃物やお経という文化がよく効いたりするところが我ながらマヌケだとは思ったのだが、自分の知らない心の底の方で、コントロールの出来ない迷信がうごめいている状態には興味が湧いたのだった。外界に手が出ない分内面に行った。

　生きている限り、どこかに住まなくてはならないという類の理性は保たれたままで、ここ数年、私は幻への逃避とたえまなく戦っていた。例えば、予知夢、など信じてもいないのに利用していた。そしてその信じ方は無意味にただ屈折するのだった。

夢が当たるのは単純な意識下のシミュレーションに過ぎないと自分に言い聞かせ、特定の宗教に入ったり神秘主義に溺れたりした覚えはない。デジャビュでない事は夢日記を見れば明らかだったが、うのみにはせず、そのくせ一応心には留めておいた。もっとも、どうせ夢の象徴などというものはどんな風にでも解釈が出来た。関係妄想とやらの気があるのかと恐れたりはしたが神経科の医者には行かなかった。同時に、心の底で蠢く奇妙なものたちも捨てなかった。どちらとも付かない立場で独り暮らしの慢心だけが増殖していき、なにか意味ありげな中立が欲しいらしいのだが、それも先延ばしにして、規定しない事で、一層自分を庇っていた。ドッペルゲンガーも結構見た。——その話を書く。

ある日、……顔を洗おうとして自分の部屋のユニットバスの清潔なドアを開けた。そのドアは白色だが肌理がざらざらしていて、ぼんやりとでもそこに人影が映り込むような事は起こり得ない。部屋の中は換気扇と連動になった明かりが点っていて、はっきりと見えた。無論誰かが隠れていたという事もあり得なかった。が、ドアを開けた瞬間、そこにドッペルゲンガーがいた。

その出現の時、どこから、時間がどんな風に途切れたのか、思い出せない。いや、いかにも正常な時の連続の中で起こったからこそ、不気味だった。狭い場所で向いあう距離はほんの数十センチ、しかもかなりの速度でビュン、とごく一瞬、私の勢い、私の気配を持ってもうひとりの私が出てきたのだ。といっても別に鏡のようにはっきりした像ではなく、例えば曇りの日に、電気の点いていない個人商店のショーウィンドーの内を覗き込んだ時に見る影のような、ふらふらした輪郭の中に、ところどころ、私と同じ色や同じ肌のかけらが、未完成のジグソーパズルのように散らばっていた。散らばってはいても、しかしこと量感や存在感ではこちらに負けてなかった。

敵は、いや分身はその時私が着ていたのと同じ緑色のトレーナー姿で、いかにも私が弛緩している時のような、自暴自棄なのか満足しすぎているのか判らないとろんとした目付きのまま、こちらへぶつかってきた。でもぶつかると同時に消えてしまった。

それは、薄い影のくせに印象の細部が不気味に鮮明であった。私はその時、熱があって顔が赤かったがその血色まで同じレベルで、消える瞬間にさえ幻覚と思えぬ抵抗感を残した。物質ではない何かにぶつかったのだと確かに感じられた。表皮のない風船のような空気の量感があり、妙な熱気まであった。相手は別に私の体の中を通り過ぎたというわけではなく、そのまま弾けたらしい。痛くない風船という感触であった。そしてそれは弾けながら私の体の周りに、薄皮になって張りついてしまった。しかもそんなにして張りつかれたところで違和感はなく、私はもとのままの私だった。ただ、体がほかほかと温かくなった。

ふたり目の自分、というものをその時の私は想定するしかなかった。もうひとりの私は、私がここでワープロを打ったり御飯を食べたり、或いは湿疹を掻き毟ったりしている間、ずっとトイレに隠れているしかない存在である。こちらが一日に何回かそこに行く時だけ、部屋の方に出てきて自由に動けるのだ。

いつもは何の支障もなく擦れ違っているのに、その日は熱のある私がタイミングを外した。向こうは私が買ったレコードかなんかを、自分も早く聞きたいと思って焦りながら出てきたのに、ぶつかってしまった。しかも向こうの私はこちらの私にぶつかった場合、若干の熱を残して吸収されるしかない存在だったとみえる。確か、ＳＦで反物質の世界とかいうものがあって、その場合だとこのようなケースではどちらの世界も世界ごと大爆発を起こして滅んでしまうのである。だがなぜかウチの場合は無事に済んだ。いや幻覚だと知った上でそう想像してみた。——そんな想像に溺れている間、現実は遠のいていてくれたのであった。

現象は現象に過ぎないのであって、深層心理だとか霊の通信だとか、理由を付ける事には何の興味もなかった。個々の「奇妙な」事例をいじって遊ぶ事とそれは、別の話だった。

ドッペルゲンガーはそれからもう一度出て来た。その時は目の醒めぎわに起こったので、トイレのお方とは違うお方かもしれなかった。ある日、換気扇などもちゃんと磨き上げて眠った次の朝に目をさますと、醒め際によくある真っ白な視界のただ中に何か変なものが映っていた。鏡の前で寝ていたのか、と最初思った。が、やがて、視界は狂ったまま理性だけ戻った。

私のベッドの上に身を乗り出し、もうひとりの私が私を覗き込んでいた。これは色や輪郭に強い現実感があった。肌の荒れ具合から、やはりその時着ていた同じ緑のトレーナーのロゴの剝げた所まで鏡のようだった。が、ただ、どういうわけなのか目玉の数だけが本物の私とは違ったのだ。なんとも思わなかった。どんなものでも、見つめている間に消えてしまうから。

まあ、湿疹とそれらにはなんの関係もない。ドッペルゲンガーなんて、別に痒くもないし。で、――。

……医者に行くのが億劫というのもいつしか表面上の理由になってしまっていた。痛みは忘れがちで、ただ自分の心と体を実験した。空想の中では原始人にも中世の人間にもなる事が出来たし、自己暗示でもインチキでも、部屋の中ならそれらを繋げて架空世界も作れた。霊とも遊べた。無論信じてはいない。でも、「現実」よりは、好きだった。――霊能力の本の中にはごく僅かだが、人間の心の底の世界を比喩の形でかなり正確に把握していると思えるものもあった。だがその殆どは著者の作ったものがたりを、ぶち壊して楽しむという風にしか用いようがなかった。それらの多くに見られる支離滅裂な倫理観や、百年位前の性差別やらは私のいい攻撃対象になってしまっていた。肋骨の中から聞こえてくる男性の声も、私の前世が実は男だとか、こちらの幼児の頃の願望を言い当ててみたり、どこそこのなんとかいう墓（後で思い当たれば、ホラーコミックの作者の名前だった）に来いと哀願してみたり、親戚に不幸を起こすと威したり、その不幸を取引のつもりなのか勝手に増やしたり減らしたりした挙句照れたりした。照れながらでさえも、声の迫力は暴力的で凄く、自分の心の底にこんな幼稚なものが存在しているのかと思うと、怖がるよりもまず、可笑しかった。

夢日記を付けてもう六年になるが日記には彼らの事を記すコーナーさえあった。しかしその遊びと同時進行で湿疹は痛く痒く辛かったのである。

そうしていても、無論病状は進行したし。

最初掌が荒れてがさがさし、ひび割れて赤化したあたりなどは、湿疹を見なくても済むように照明を落とし、それで済ませた。が、やがて薄い暗がりでも皮膚の異常化が判るようになると、今度は掌を握りしめてひたすらやり過ごした。この際のごく軽い痛みは水使いの際に歯を喰い縛る事と遊びに夢中になる事によって誤魔化された。誰もいない部屋の中で、湿疹は普通の事、になっていった。頭の中で普通は正常、と読み変えられもし、だが痒みはどんどんひどくなりやがては唸り声や、指を曲げる時の掛け声まで〝正常〟になった。

最初のどうも乾いて厄介だ、という程度だった時をもう思い出せないところまで進んで漸く、どこが正常ではないのかを確認する作業が始まったのだった。いつしか。

……手の指がふたまわりも腫れてしまっていた。

乾いていただけのがいつか曲がり難くなり、どうも爪が痛いなと思った時には、通常の指の大きさではなくなっていた。爪はその腫れた指に食い込み、歯を喰い縛った爪、という趣になっていたのだった。風呂に入る度に皮膚のあらゆる部分が、たやすく剝がれた。足の指に大きな傷口が出来ていたのだが、それも切り傷ではなくどうやら疾患の一部らしい、とやっと判った。ともかく腫れている。そして皮が剝がれる。覚えのない傷口が増え続ける。傷の周囲は特に脱皮のように、毎日剝がれた。面白くてというより不安にかられ、病のある皮を取り除こうと剝き続ける内、ついに再生する皮がなくなったのか、気が付けばびらん状となってしまっていた。皮膚病というより、群生する傷口という感じだった。だが、外にはなぜだか出ていけなかった。出られないがいつからか出ないに変わっており、それがいつからなのかもう思い出せなかった。

そうと判ってもまだ常識人には戻れなかったのだ。我に返るきっかけになったのはやはり想像であった。

このまま指がもげて落ちたらどうしよう、と心配になった事。たまたま凍傷という言葉を知ってもいた。その言葉と自分の症状とがなぜ唐突に結び付いてしまったのかは不明だった。ただ、イメージが頭の中でどんどん膨らみ、ユビガトレタラドーシヨー、というういわば想像上の恐怖に繫がっていった。すると追い打ちのように症状は一気に最悪となった。

……普段の三倍程にも膨れた手の指の皮膚は完全に乾き、指先は全部六角形になった。指の腹には一本の指がいくつもの房に別れてしまったかのような深いたてじわが刻まれ、しかもその房のひとつひとつは乾いてひび割れ、中央の窪んだ、大きさの不揃いな鱗に覆われてしまった。その色は薄いばらいろと乾いた白色で妙に光り、しかも手の内でリンパ液が染みだしていないのは鱗部分だけ、薄いごわごわと化した皮に手が覆われていて、その下の肉が膨れ血が集まっていた。膨れる事の出来ぬ乾いた表皮は際限なくひび割れ、鱗のようになっても結局は侵食されてしまい、染み出したリンパ液と柔らかい真皮に押し上げられ、その鱗はいつしか茶色くなり肉から浮き上がった。とても痒いそれを掻き毟ると部屋の薄いカーペットの上にはまさか自分自身が生産したとは思えない程に、大量の人の皮が、いつのまにか、カーペット自身の疾患であるかのように降り積もっていた。極端なアカギレ霜焼けといった外観だが、その時点で私は自分の病名をまだ知らなかった。

一応凍傷という言葉は見つけだした。だがなぜこんな温かい部屋で、そんな病に罹ってしまったのだろう、と不思議には思うわけで、その矛盾がまた別の不気味な可能性に繋がっていった。右手は殆どかたまっており自力では曲がらず、骨に異常はなし、と見当を付けたが、なにかとんでもない病気かもしれないという予感もした。ともかく冷静になろうとしてはみたが、結局自分の通常ではない皮膚を観察することしか出来なかった。手全体を上から点検するとくまなくボタン色に発色していた。指の股から上部にかけて生じている一ミリ毎の切れ込みをただつくづくと見ると、指の付け根近くには真っ赤な不揃いの斑点が固まっており、そこは殆どの真皮が剝き出しになっていた。不用意に触れると飛び上がるしかなかった。

だが肝心のワープロを打つ場合にはその病はさ程困らなかったのだ。左手の手指が六十度曲がるし、右手は第一関節だけが三十度曲がった。いや、無理に曲げなくてもキーは打てた。片手で打てば速度が落ちるようだが、焦るせいなのかむしろ速い、いつもより腰は痛むようだが、ナニモシテナイ生活の中で強いて無理をしてワープロを打つと、何か世間に申し訳が立つような気がして妙に充実した。

それがまた原始状態への逃避に繫がっていった。さらに素人判断の理屈付けにまでも……。

無論、そんな判断はことごとく外れで、時に、危険なものなのであった。

私の膝頭や肋骨のあたりにはここ数年角質化したような黒ずみが少しずつ増え始めていたのだがその体の皮膚の異化をまず、三十を超えた年齢のせいなのだと私は、勝手に黙殺した。でも実はそれは手の病と同じものであった。一方、何ヵ月か前に左目の下瞼に黄色い粒を含む透明な小さいぷくぷくしたものが、目玉の子供のようなのがひとつ出て来たのを、病と関連付けた。最初はモノモライだと思い治らないのを気に病み、サルファ目薬を連用していた。ところがそうしているうち郷里の父親が疱疹に罹り、目のまわりの皮膚にぷくぷくが湧き出し、止まらなくなったという情報が入ってきた。父と自分の体質は非常に似ているのだと私は思い込んでいて、それで目の病と皮膚とを結び付けて考えるようになった。角質化の方は気にも留めなかったのに。

以前に何回かゾンビとまではいかぬが、掌だけ赤く固くなって水疱が出る程度の状態になった。その時に父の湿疹の薬を貰って症状が治まっていた。そんな事から勝手に病名を定め、本当に疱疹なら瞼から角膜に入って視力を脅かす非常に危険なケースもあるらしいのだが、その時は知らず、たかが「体質」と、無謀にもただ治まるのを待つ事にした。こうして、モノモライも疱疹も一緒くたに考えているうち、治まるどころか症状はどんどん掛け離れたところへと進んで行った。だがそれでも医者にはなぜか行かなかった。

医者に行かない理由はどこからでも出てきた。例えば医者に行って、何をしているのか訊かれたら困るからだとか。だって正確に言えば、やはり私はナニモシテナイのだから答えに詰まるのだ。ナニモシテナイ私は医者に行くかわりに、自分の力で指を曲げてみるという工夫に熱中したりしてみたのだった。

私の指は、右手指の一本一本にティッシュペーパーを巻き付け、左手の指全体を添えて無理に曲げれば、まだ曲がった。但し、チリ紙がみるみる潤んでいき、しばらくしてその紙を剝がそうとすると音を立てて皮膚は引き攣れ、こまかな縦皺を刻んだ真っ赤な真皮の穴から血液が浮いた。血の粘りを引いた紙はくっつき、肉をひっぱっていた。かぶれの原因は未だにはっきりとしない。

　十月の終わり、両親の旅行で空いた家の留守番をし、その後も旅行で疲れた母の家事を手伝うため十日程いた。その間はむしろ体の調子はよかった。一日に数時間、時には十時間程掃除をした。ナニモシテナイ自分が後ろめたかったから。だがこちらに帰って来てもその余勢で、素手のままかなりきつい住まいの洗剤を使い、自分の部屋の換気扇磨きをした。それでもなんともなかったので、もともと弱い皮膚が急に強くなったのだと信じ込んだ。もう十年も前から、別に水質汚染防止のためというわけではなく、普通の化粧石鹼で食器を洗っていた。それを同じ石鹼でも食器洗い用の液体石鹼に取り換えてみた。普段は水廻りの掃除に柄付きブラシを用いて使っている品で、以前にごく軽くかぶれた事があった。天然素材のもので手にも水質にもいいはずだと思っていた。だが考えてみれば、普通の石鹼よりは濃いかもしれなかった。液体石鹼を素手で使う場合、皮膚の弱い人間は何倍かに薄めて使った方が良い。そんな事さえ気が付かなかったのだ。中性洗剤の方では以前に相当かぶれてから注意していた。そのくせ、固形石鹼が大丈夫だったから液状のも平気だと思い込んでいた。

　石鹼を液状のものに取り替えてから二三日で、指の股の皮が二回剝けて、右手の中指と薬指の間に小豆大の水疱がふたつ出来た。いつものごく軽いかぶれの徴候であった。

　私は普段からかぶれというものにさ程驚かない。イチジクの汁でも、剝いたトマトを持っただけでもかぶれる場合がある。ただいつもと違って掻いても掻いても痒みが治まらず、霜焼けになった時の痒みと、それは非常に似ていた。湯に入ると自然に掻き毟って、治りはしないのだが痒さが痛みに変わると気持ちが良かった。図にのって延々となり熱い湯に浸けた。ひどくなればなる程温め方が足りないのだと、今度は始終熱いシャワーを浴びせるようになった。そうすると一応気持ちが良く、指が自力で曲がるようにもなった。だがまたすぐに固まる。温めなければと思うのも素人にしてみれば無理のない話だった。湯に浸けると右手はすぐ曲がるし腫れもいきなり引く。冷やすべきものをそうしていた。

そのあたりから、それ以前の私というものがあやしくなってきた。「暗い私」だとか「嫌われる私」が、痒い私の前に吹っ飛んでしまう。

傷口から黴菌が入るような気もしてきて、何度となく濃い消毒石鹸で手をごしごし洗った。だがアルカリ気もこういうタイプの湿疹には厳禁だったという。無論気が付かなかった。指の取れる奇病だ。原因は不明。医者に行ったところで治療法もない。

やがて私は自分の脳の一部が働かなくなったのだと思うに至った。脳のどこかが変になってそれで手先に血が回らなくなってしまったのであると。なにせ暖かくエアコンの入った部屋で指だけが死ぬ。絶え間なく熱を与えないと指は膨らんで爆発する。自分で勝手にそう思っていただけの事だけど恐怖は恐怖である。熱い茶を沸かし、熱の移った茶碗を掌で挟み、体を温めるためにあらゆる食物にトウガラシをかける。カイロを握って眠り、といっても痛くて眠れないからうとうとするだけ。いつもは夢を見る事が楽しみなのだが、痛くて起きるとカイロが手から外れていて強張っていたり、夢どころではなかった。いや、その夢さえたったの三種類になってしまった。

まず、……ドライアイスの入ったガラス瓶を持ち落っことしてしまう。ガラス瓶からその煙がもうもうと立ち私はうろたえている。それが第一のパターン、掌がひりひりする時の夢だ。

次に、指が痒い時には夢の中でその指は短くなる。なんでこんなになるのだろうといぶかしみ怯えるが、よく見ると指の股のところだけに大きな分厚い水疱が出来ていて、それが、皮ごともり上がっている。その水疱の中の水がどんどん増え続けて、掌がただの水袋のような形になろうとしているのである。そこで指の間をもう片方の手で押さえようとするが、そちらの手も同じになっているのでじたばたする、これが、第二のパターンである。

さらに、指全体に痛みや軋みが走っている場合……、木の棚の上にさまざまな銅像やヌイグルミをコレクションし私はかなり満足気にそれに見入っている。位置が気に入らなくて楽しみつつ並べ換えようとすると、どういうわけだか趣味に合わない片手のオブジェがある。まず、ブロンズの筋だらけの痩せこけた片手、陶器の小さくてつるつるした真っ白な片手、他にはなぜか干支の焼き物を連想してしまう、緑のうわぐすりが掛かった指の長すぎる片手、夢の中の私はそれらを置く位置がどうも気に入らない。そこで並べ換えているうち、まずブロンズの片手から赤さびのような埃がほろほろと出て、見る間にそれらの指が落ちてしまう、第三のパターンである。

　結局どの夢にしろ、目覚めるともう痛みも痒みも二の次でともかく指の取れる恐怖と戦わねばならなかった。だが恐怖が極限になり、救急病院に行くという考えがどこから出てきそうになると、たちまち逃避的に元気になり、何か別の事をしようとした。が、何も出来なかった。

　音楽は聞けるはずなのだが現のあらゆる音波は湿疹に障った。聞く音楽よりも幻聴すれすれの想像する音楽のほうが良くなっていた。しかもそれはあまり長く続けると何も想像していない時でも、つまり幻聴がない時でも聞いているような気分になってしまい、結局は何もしていないのと同じ状態に移った。最初のうちはひたすら本を読んだがそれも痛み疲れで全身が凝り、目が霞むと中止するしかなかったのだ。それに照明の下で両手を見ずにすむよう、光から庇いながら読むというのは、なかなか厄介であった。風呂もあまり長く入っていると全身の皮が薄くなって無くなってしまう。ワープロもいつしか止め食事以外はただ暗いところでじっとしている、という状態と化した。いつものような様々な夢を見られないものだから（いや、別に夢がカラフルであればそれで済むといっているわけではない。例えば目の病の時、角膜に生じた目星《めぼし》のせいか、極彩色の太陽雲月星鳥といったものが出現したが、それはそれで結局恐ろしいだけで、精神の満足とは何の関係もなかったのだ。目星は、強風の日、埃かなにかが目に入った結果起こったらしいのだが、目の中からは細かい髪の毛も出てきたからその両方が原因だったのかもしれなかった）仕方なくテレビを見ようとした。霞んだ目でも光るブラウン管をぼんやりと追う事は出来たのであるから。

　でも普段ならばテレビより自分の夢の方がずっと楽しいのだ。夢ならば内容は下らなくても臨場感が違う。夢の中の空気は現実よりも密だし。

　ところが、――スイッチを点けると即位の礼の中継をしている。ナンダコレガアッタノカ、とふいに元気になった。皇室信者ではないがこの関係は見る。でもなんで見てしまうのかよく判らない。日本シリーズとかのスポーツは見ないのに。前にも大物がひとつあったが、あれの時などはお葬式の行列が家のすぐそばを通るというので随分不思議だった。どの行事も幻想と現実が交錯しているようでついつい見た。だが気になるのはその全体の感触だけで具体的な方面にはむしろ違和感しかなかったのだ。見始めの時は、きっと長くて退屈だろうと自分でも思うのだが、結局最後まで見るはめになる。後からニュースでというのは気にいらなかった。現にしているところを同時進行で見、現実にその場にいるような錯覚を持ちたかった。それをするというので三連休になり、医者も休みだ、というと、それが国家的行事で、私がこの国のコクミンなのだという、妙になまなましい感触が強くなった。

　テレビの中ではタカミクラ、というオミコシのようなものの上に天皇が乗っていた。その隣にあるミチョウダイというものの上に、皇后になった美智子妃が乗った。タカミクラの回りのカーテンみたいなものを、上げたり降ろしたりする役目の男が、やはり源氏物語風の恰好をしてタカミクラの端の方で上ったり下りたりを繰り返していた。タカミクラは千年位経っているものなのだろうかと想像していたが、鮮かな色で新品に見えた。カーテンをいじっている人がどういう資格の人間なのか知りたくてならなかったが新聞がなかった。外に出ない遊びが嵩じてしまって、郵便受けにわざと新聞を溜めていたのだった。

テレビを買ったのはほんの二年前だ。それまではまったく必要がなく、買ったきっかけもいろいろな番組を見るためではなかった。ライブハウスでほんの何回か口をきいただけの音楽家が、日本テレビで演奏するから聞きに来ないかといってくれたせいなのであった。彼らは暗く不幸そうな〝何をしているのか判らない人〟を気の毒に思い、親切にしてくれたらしいのである。外界に興味はないと称しながら、前からそのライブが癖になっていた。が、それも音楽と自分との関わりだったらしい。ライブを中継するという体裁の番組、音楽家は前へ座るようにすすめてくれたのだが私は辞退し、後ろの席の客の後頭部という役どころで出演させて貰った。テレビ中継と普段の舞台とでは即興演奏の陰影が異なっていた。しかもリハーサルの時のその部分で、機材の林に囲まれた彼らは徹底して冷静なのであった。ライブが済んでみると、現場と映像の差について興味を持ち始めていたのだった。で、テレビを買った。

そういう、テレビを見ている間にも湿疹は手首や手の甲の方にまで上って来た。何を見たところで痒いものは痒い。関心はいきおい衣装にだけ向く。きれいな色を見ていると気が紛れた。

天皇陛下の着ている袍の色は茶色っぽい単色に見えただけだが、皇后陛下の方は精妙な色を重ねてあって綺麗だった。ただ、十四インチのテレビでは生地も重たげなだけで織り目は見えなかった。他のお雛様たちの十二単衣が、大体同じような色合わせなので、競う、という感じにならずどこかもの足りなくなり（といっても儀式の時にばらばらなのを着ていれば困るだろうが）いや、細かいところで差をつけてあってもテレビで見ているだけでは区別出来ないので苛々した。で、——。

もしも源氏物語ならばだれだれは何の御衣装となるが、テレビはただずらずらと事実を映すだけだ、とその時気付いた。物語の文章で映像をやろうとすれば、ワイドショーのパーティ衣装拝見みたいになるのだろうか、と想像し始めた。するとだれだれは、のところでいきなりひとりだけアップになり、分解写真のように様々なポーズで、袖口の重なりや後ろの裳のひきずり具合などを映しだすのだろうかと。だがそれだと例えば紅梅とか柳襲《やなぎがさね》とかいう言葉は漢字でテロップにして一緒に出すのか、でも本当の源氏なら平安時代の写本は失われているし、そもそもその単語が漢字かどうかも判らないと結局、心許無くなった。第一映像で再現出来てもこっちの心がもう違っている。いやそもそも映像だけで源氏が出来るのだろうか。——とはいうものの、即位式そのものには明治以後の新しい部分が多かったらしい。新聞を読んでなかったので、その辺も疎いままだったのである。

源氏といったって覚えているのはどうせ断片だけだ。儀式の時の男性の姿がやたら美々しいように描写してあったが、テレビも衣冠束帯の方は見慣れているせいか、古語辞典の挿絵にしか見えなかった。自分はただ生地が好きなだけで、デザインというものに何の関心もない人間らしいという事にその時気付いた。

夜になって、イギリスのテレビが、皇后陛下の衣装の方が豪華です、などと勝手な解説をしているニュースも見る。以前に同じ国の大きな放送局が、前の天皇のスキャンダルをでっち上げて放映したという事を聞いたが、日本では抗議も何もしないで終わっていたらしい。それまでは別に気にも留めてなかった。だが即位式の時に彼らも来ていて、また変な報道をするのかとふと意識し、だが別にそれで私の感情が動くわけではなかった。

夜のニュースで様々なイブニングドレスの生地と帽子を見ようとしているうち、痛み疲れが出てうとうとしてしまった。起きると夜中だが別に良く眠ったという感じはなかった。カイロを持たずに寝たので指はかんかんに腫れ上がっていた。掌だけで挟んだコップに水を入れて飲み、数日前のカレーパンを嗅ぐと腐っていた。パンと見世物のローマ市民、と急に発声して、水とアラレとアンコモチで食事して再び寝た。食べ易いから買ってきたのだけれどよく考えてみると、甘いものには飽きてしまっていた。そこでその飽きたという感覚を味わって食べようとした。でも、実をいうとあまりにも痛くて、もう食物の固さと一瞬の舌触りしか判らなくなっていた。痛みは腕の関節に針を指すようでそれはさらに肩に入り込んで、肩こりは当然奥歯に来るから歯は割れそうになって時々、吐き気がした。その一方で胃は異様に食物を欲しがったから、もう箸も使い難い手ですぐさま食べられるものを調達していただけだ。それなのによく喰らい、いわばゾンビだった。ゾンビになってからもう二週間も経ったのだと、その時にふと冷静に意識出来た。テレビのせいだろうか。外出時の厄介にも、もう慣れてしまっていたのだけれども。

エレベーターのボタンを押すのにも透明なポリエチレンの手袋をはめる……いや、外出の間中、他人や商品や商店のドアに、リンパ液を付けないようそれで赤剝けの手を覆っている。何を触ってもポリ袋越しであっても充分痛むのだし、ポリ手袋の中はすぐに汗をかくから、あまり遠くにはいけなかった。商店から商店へ移動する間それを取っていればいいいわけだが面倒である。

ポリ袋に包まれた手で歩くとそれだけで充分人目は気になる。一番嫌なのは他人から不潔恐怖の人間だと思われる事で、だから何日かに一回三十歩程離れたコンビニエンスストアに行くだけであった。そこでは店員はこちらに何の関心も払わないし、手にも袋にも気づかないふりをしていてくれ、或いは無関心であってくれた。一度など急性のアカギレみたいなものであると、自分なりに説明も出来たので気兼ねなくカップヌードルや日持ちのする惣菜を買って帰れた。私は以前スーパーでつけおきだけで済むスニーカー洗剤を買おうとしてパートの主婦らしき人に冷笑され、それから便利なものはコンビニで買うようになってもいた。手袋越しにコインランドリーで洗濯して、掃除は羽ぼうきと粘着テープで保っていた。誰かに来て欲しいとは特に思わず、そういう自分は別に不思議ではなかった。――なにせ人がいたら寝てなどいられないし、仮に相手が心も言葉も通じないのにコミュニケーションしなくてはならない人だったら、一層心細くなってしまう。心にしろ言葉にしろこういう密室原始空間で通じ合う相手など想像出来なかった。結局、私は自分自身と暮らしているのだった。自分のヌイグルミや自分の悪霊との、家庭作りに励んでいるという恰好になった。

　連休明けの真夜中から早朝に掛けて、取り敢えず医者に行く事しか考えなくなった。まず、患部が異様なので他を特に清潔にしようといつしか焦っており、痛む手にまた石鹸をぬりつけ顔を何度も洗った。その手は以前写真で見た昔の農家の嫁の手というやつに似てきていた。完全に腫れている右手が特にそうで、――。

　二十一歳だかの嫁のその手は、白黒写真ながら今の病的な私のゾンビ手よりももっと凄く、しかもそれが通常の状態だったらしい。昔といっても写真があるのだから戦前か下手をするとほんの一世代程前の話なのかもしれないのに。

　寝る前に母に電話をするといきなり電話口で忌ま忌ましげなため息を母は返して来た。前の日は童女のような声で安心だったが、既に不調だった。母は正常な市民である。だが私には安心してストレスを放つ。体の不調を、自分の分も人の分も一緒くたに訴えたりするのだった。そして事件も。

　例えばある時、オトーサンガクルマデ、入院ニ、イ、ッ、テ、ターイヘンダッタ、と口をもつれさせて言った事があった。驚愕した。必死で事情を聞くと今度はなかなか教えず、やがて他人の見舞いに行く時、道路が混雑して疲れた、という話だと判った。いや、そんなのは別に珍しくもない。が、時には近所の老人が倒れて死んだというのがいつのまにか、私を責める話に変わったりもするのである。しかもいつしかその老人は二十年後の父に変わり、その父の心臓発作を知っていながら、私は何の処置も取らず、ここのマンションでのうのうと暮らしているという設定になってしまっていた。（現実の父の心臓は大変丈夫である）要するに母は幻想の遊びのなかに浸っているわけだ。が、どこからか湧いてきてその幻想を造り出している、切実な不安は本物に思えた。それ故、そんな時、仕方なく私は母の架空世界に入り、ナントカスルカライイヨ、と慰めてみるのだった。が、そうなると、――。

　イイヤオマエニハナントモデキナインダヨ、と次の様々な、推定というより殆ど架空の設定がたちまちどこからかもたらされた。最後には全部私がいけない、という結論になった。

　自分が勝手な事をし、ナニモシテナイ、と思うと私はそうした電話をどうしても切れなかった。いやむしろ私が勝手な事をし、ナニモシテナイ、というところに母の落ち込みの原因があると思えたのだ。

母は老化が脳に及ぶ程の年ではない。ただ人嫌いであまり外に出ない。その不安感は私にも非常によく判るものだ。

その日の私は、電話のダイヤルに腫れ上がった指先がどうしても入らず、鉛筆の先で回して掛けていた。でも向こうには見えるはずもなかったのだ。考えてみれば、自分の病気を両親に訴えるという事を最近してなかった。自分の年齢を考えればそれが正常な状態なのだが、その日は母のため息に耐えられなくなった。母は毎日なにかしら体調の不良をいうようになっているし、もともと子供の頃から虚弱体質である。そのくせ一切節制はしない。その母の訴えの私はかなり熱心な聞き手だった。だから自分が言えば母は聞いてくれるものなのだとばかり思い込んでいた。で、——。

文章にして二百字程訴えたあたりでため息が消え、母の笑い声が返って来た。わくわく動物ランドの最中なんだよ、とふいにいう母には私の湿疹は見えないのだった。結局番組が終わる頃おどおどした声で向こうから掛かってきたが、今度は私が冷酷にし、被害者と化してとげとげしく復讐した。やがてテレビを見ながら眠ってしまった。

そして、連休の尽きる真夜中、頭の中で鳴っている小さい音楽だけが大変規則正しい波紋になり、病は頂点に達していた。私の手の、——。

指の腹を房状に仕切っていた縦皺さえ、もう膨れ上がる熱とリンパ液で盛り上がって消えてしまっていた。そのシルエットは串団子のような円を連ねた形に変わっていた。

極限まで腫れた指先の肉は爪に喰い込んでいて、ただでさえ切れ易くなっている指の皮は爪の両端のところでその朝何箇所か裂けたらしい。一日でそこからはザクロのような身が出て、その内の三箇所がアズキ大に血で覆われていた。痛みは体中に染み込んで行くのか、妙に静かなものに変わっていた。いや、所詮医者に行ける時間が近付いて来たというので冷静になっただけの話だったのか。

結果、朝の薄明るい粒子が厚いカーテン越しにじわじわ染みている頃、植物のような変なものになっている自分に気付いた。でも、その時も、――。

湯を掛けて凹ませたので分厚い皺の重なりに変わった手指の、破れた皮から染み出すリンパ液の量は増え続けていた。症状の繰り返しに疲れ、カイロだけ握って横になって、夜明けに心のみ安定したら、いつもの逃避的な方向に向かったのだ。発熱し続ける両手に一切のエネルギーを吸い取られて他の部分は枯れ、透明化していた。痛みは変質し後頭部がちりちりして、眉間から血の気が引き始めた。だが瞑想などしている場合でもなし、ひたすら無気力で、そのくせ自分が泣かないのは妥当な態度だなどと思っていた。

密室空間にいると、少々自分に不都合な事態が起きたくらいでは泣いたり怒ったりしないらしい。喜怒哀楽は社会と繋がっている自分を想像しながら、記憶や未来などの目の前にないものにイマジネーションをかきたてられた時だけ、初めて表面に出て来るのだ。では、湿疹はそんな不発の喜怒哀楽の代わりに出たのだろうか。

三年前、祖母が死んだ時激しく泣き、一周忌の前後にこの密室の中でまた急に泣いた、それ以前は何かにつけて大袈裟に泣いたものだったが、今では相当嫌な事があってもただ無表情でいる。外界の惨めな記憶を爆発させるための、怒りまで演技に変じていた。感情の発露は密室の中で誰にも伝わらずに無事に消えた。最近の私は、感情を表すかわりに疲れるようになった。そんな疲れ方の時に体が透明になり持ち上がらなくなる。鬱というより、鬱の果ての無気力と呼んでやりたい状態、それはただの体の疲れと区別が付かなかった。

……こめかみの周りや耳のあたりに、きらきらした斑点が浮き上がって見えた。親の名前も自分の名前もあんまり思い出せず、ただそんな状態を変だと思う理性はかろうじて残っていた。ああ、いまは変だ、ともかく変だなどと強いて自分自身に言い聞かせていた。

暗い中空に吊り下げられ柔い毛根ばかりを際限なく延ばしている球根のように、頭から半分萎みかけていた。といっても自己否定（そんな世の中を虚ろにするような反抗的なパワーは私にはない）ではなく、世の中のごく細い柔らかい部分と接触してさえ、自分の側から腐って自分の方が虚仮にされていく状態にいた。意識が、魂が湿疹という現実を拒んでいた。接触をこばみ、爛れる代わりに際限なく壊れていく。いや、その時はそんな事思うわけではなく、ただ単にこのまま布団の中に吸いこまれて、白骨だけになってしまったらと、夢想していた。

いつしか私は植物になりたがっていた。それも大木の下で光りと湿度に伸縮する苔の花のような、怠惰でエゴの固まりというタイプである。連休の間中、外で走り回ってい たパトカーやら普段ならばばりばり音を立てて周囲を回っているはずの暴走族やらが、何の関連もないまま一緒くたになって、意味もなく私を脅えさせていた。この部屋の外にあるものが自分を壊すのなら、その前にさっさともっと感じのいい破壊と触れあって壊れてしまいたいと、転生出来るものなら人間の来ない深山の苔になりたいと、気力が弱った時のいい気な感覚の中に逃れ込んだ。そんな状態をただ空想しただけですぐさま苔になった。

ナニモシテナイと決め付けられる私がなぜだか自分では気に入らないのだった。十年間ずっと私自身はナニカヲシテキタつもりでいたのだった。だがしてきたはずの何かは自分の部屋の外に出た途端にナニモシテナイに摩り替わってしまった。シテキタシテキタ、と言ってくれる一握りの声は、外の世界の大きな音にかき消されていた。病のせいだけではなかったのだ。その大きな音の特にひどいのに接した直後でもあった。

私は苔になりながらもぼやいていた。……バカナコトヲイウナ。綱わたりの最中、あおちたらこわいなーここは百メートルあるよー、などと本当の事を叫びながら渡れとでも言うのか……。

判らない言葉や声、いつもは押さえ込んでいるそれが私を脅かしていた。自分の本が出ていない私には自分の読者はない。あ、これでいいんだという安堵だとか、まともな自省心をもたらしてくれるごく一握りの手紙や時評を大切に普段は暮らしている。だが鬱は根源的問いかけをほじくり出し不安を高めた。よく判らない意見の判らなさを真面目に受け止めようとして、私は考え込んでしまったのだ。

……なんで吟味もせず私小説などという言葉を使うんだろう。なんでひらがなとカタカナの区別が付かないんだろう。現実の土地と、日本語で作った言葉の土地の区別をなぜしないのだろう……。

文章に私と書けばそれは私と書いた板だったり、一人芝居の人間が自分の鼻を指して言う言葉だったり、或いは人間のヌイグルミを被ったゴジラの告白の主語だったり、私、という名を与えられた一匹の金魚だったり、時には私というビニールパイプ製の漢字一文字を首に見立てて、アンドロイドの体にすげたものだったりする。その私をどうして一通りに論じ、場所を全部読み手自身の家に設定してしまったりするのだろう。ミカン喰わせたら皮だけ喰ってまずいキンカンだと言い、キンカン喰わせれば皮を剝いて捨て苦い実だという。あるいはこれみよがしのクサイ包丁さばきで食物を飛び散らせて、鈍刀振り回しているような評論にもあう。面識もない、しかも別に分析医でもない評論家が作品を読みとばした挙句に心の病の診断を勝手に下してくれたり（遠縁の医者に言わせると私はまったく正常だそうだ）、まったく、どうなっているんだろう……無論そのぼやきも湿疹の前には何か変なものと化してそこを漂っただけの事だ。

私は人権を売った覚えはなく、文章という幻想を売りに行っていた。だれが働きながらけなげに小説なんか書くか。喰えないなら止めてやる。いつの間に十年も経ってしまったのだろう。

吐かないはずの言葉が湿疹と一緒にぷくぷく出てきて、体の外へ、自分と関係のない正しい理性の世界へと流れ去った。すると不思議と、暗さも消えて行った。急に楽になった。部屋に忍び込んで来る朝の粒子が増える度に、頭も体も静かになっていった。このまま苔になる。欲しいものもしたい事もその時には消えている。誰かに会いたいとも思ってない。

自分のしてきた日本語いじりも他人のした事のようにしか思えなかった。幸いと肋骨も痛まなくなった。掌もひりひりして熱いだけだ。体と心が気持ち良くふたつに剝がれていた。目を開いたままで視界は均一になり、感覚や重みが消え呼吸の音もなかった。なる程こうして死ぬのかと勝手に納得した。そして妖精を見た。いや、妖精がそこにいるのを、自分の湿疹が光りの固まりになって飛び回るのを見た。

それは物質に触れる事も直接に何かに働き掛ける事もない、本来、存在し得ないものであった。

まず、私の、楽になり消え果てた体からいきなり触角が生えた。体のどこからとも判らないまま、光りだけの細い固まりが一本の糸を引いて立ち上がった。それはそのまま私からはなれ私の周囲を飛び回ると窓の外に出た。その時五感の休止した私に見えたのはその光りだけでしかも出る時には一本の糸に見えたそれは体の外に出るやいなやいくつかの粒々に分かれて散ったらしい。……銀色の小さい点が群れになって飛ぶ。一粒一粒には何の意志もない。その癖ある欲望を持ってひとかたまりに動く。粒子は目になり羽になり悪意になる。だが結局統一した人格はなく刺激を求めて吸い寄せられるように動いている。それはただ何かを見たがっている。見る事以外に何も望まないが、その視線にはあらゆる生臭い衝動が沸騰している……。

それが植物化した私の、或いは植物になりきれない私の総てだった。

私自身がなにもかも投げ捨てたつもりで野狐禅《やこぜん》の錯覚を持って見たところで、生きた肉体は外に向かって妖精を放つ。見たい、という欲求、一番原始的な社会への関心。

窓の外に、といっても別によくあるアストラルトリップのように自分の魂だけ浮かんでいるというやつではなく、ただ横たわって植物と化した自分のところに、テレビ画面を溶かして滴らせるように外の景色が、といってもどうせ自分の近くの記憶の範囲内でなのだろうが、流れ込んで来た。妖精が私の目になり感覚の端子になって、それを私の意識に注ぎ込んでいた。生霊でも魂でもなく、確かに妖精で、自我などなかった。自我以前の単純な妄動しか持っていないらしく、送ってきた映像、正確には私の記憶の中から引っ張り出した景色にも何の意味あいもなかったのだ。それは、あまりにもありふれた眺めだった。絵の角度と部分だけでは、とてもどこなのだとも、何時頃だとも、見当がつかない。が、妖精の眺めそのものの中には、眺める事しか知らない存在の残酷さと安心感が漂っていた。それは、例えば、……外の冷気、音のない車の流れと灰色の少し湿ったアスファルトの道だけ、なのに気持ちがいい。

植物になる前に少し苦しかった息が楽になって戻り、視界を取り戻すと頭のまわりで、やはり銀色のものの飛び回る気配が残っていた。今度は逆に目をつむると先程の景色がくっきりと映っていた。そして思った。

見たい。何を、というのではなく普通の人間が普通にみるものを、普通さを徹底させて見尽くすような感じで。そんな事をしたら、見るだけでなにもかもが肯定されてしまう、けれど。

植物と化した体から見たいという欲望だけがすり抜けて空に上がる。そう思っただけで私の頭の中はなぜか非常に強い生命欲に満たされていた。

植物が一番ぎらぎらしているのか、とその時ひらめいた。植物の魂には意志も道徳もなく、そのくせ外界との交流だけは欲しく、それはやがて体を離れるようになってただ変化だけを求め飛び回るようになるのだろうかと。

植物の妖精というのはそんなものだろうか。私は妖精になってみる事にした。

部屋の中に並べたポトスや雑草の鉢植えの中に、入り込んでいる自分を想定していた。大変良く日の当たる東向きの部屋で、カーテンも開けて貰えずに鬱々として、黄色く葉を枯らし斑点を作り、悪意を募らせながら生命を惜しみ、そのくせ消えたがる植物、その精になる。土にも水にも飽き空気の中に溶け出してしまう事に憧れ続けて、一方では病気のひげ根に絡まった汚れた銀紙のかけらなどを確かめて遊んでいる「自分」。彼らにまなざしがあるだろうか、受け身の生き物が、角度もなく目的もなく閉じこめられた時、本当に外を見ようと、宙に浮こうと、するだろうか。無論、そんな空想は密室のもたらした遊びに過ぎない。自分を消してしまいたいと思って植物のふりをするのならば、生来植物であるポトスなどから、私はむしろ邪悪な退屈と憎悪とを向けられてしまうだろうし。その結果、私はあるいは、ポトス憑き、などという新しい病気に罹ってしまうかもしれないのだから。無論、――。

ポトスは憑かない、ポトスはおとなしいし、こちらの考えている事など気にもしない。だがポトスが憑かなくても私が憑かれるかもしれないのである。私がポトスの中に妖精をでっち上げそれを引き出して遊ぶ。そうして乗っ取られているうち、生きる喜びや欲望の全部が、ひたすらただ見る事に昇華された、透明な喜びに満ちた妖精が出現する。

じゃあ、もしもそんなものが出現したなら、私はともかく誰かに会いに行こう。出来るだけ自分はニヒルだと思ってふんぞり返っている男性がいい。おまけに世界中で自分だけがデリケートだと信じていて頰の上の無精髭がぷるぷると引き攣れているような、感じの悪い人間なら最高である。そしてそこへ行く時、私は三十半ばというこの年齢に、世間が与えた通念から掛け離れたとても楽しい服装をしていきたいものだ。丸い可愛い輪郭の眼鏡を掛け、昔の少女のような白いレースのエプロンか何かをして、そこでいきなり脅迫電話のような私のナルシシズムを相手にぶちまけてやるのだ。アタクシ、ジツハキノウ、ヨーセーヲ、ミマシタ……そういってただでさえ白目の多い目を一層上目使いにして相手を見てやる。相手がもしそれでただぞっとするだけの事ならば、私はしらけはてて帰るしかない。だから無論そんな温厚で優しい人物に向かっては言わない。

そう、そこまで考えたら、元気が出てきた。で、――。

起きてまさに、気を取り直した私はリンパ液に染まったチリ紙を一心に剝がした。植物になるというインチキだけが、治療に行く元気を支えていた。元の私の尋常な意識に遮られて、妖精はただ一定の周期で私の頭のまわりを静かに回っていた。その妖精に引きずられて私は準備を始めた。

連休の間痛みが激しくなると電話帳と市内地図を突き合わせて医者のありかを調べていたのだった。それが治療の代わりになってしまい、痛む度に何度でも確めたのだ。安心感のせいか実際にましになったような気分が一時的にして、連休明けの時点で、市内の皮膚科の名前と町名は全て暗記し終えた。ただいざとなると、どこへ行けばいいのかがなかなか定まらなかった。常識的に言えば数軒先の総合病院の皮膚科に行くべきなのだろうが、治った後で顔を合わせるのが億劫であった。その事を考えるだけで疲れ果てて怯えた。まあ理性で考えれば億劫などというのはただの我が儘であるが。

私はただ顔見知りに挨拶をするだけならば実にまめにしつこくオハヨー、コンニチハー、と言うのである。ただ起きる時間が出鱈目であるため、起き抜けの夕方にオハヨー、と言ったり徹夜明けの早朝にコンニチハーと言ったりしてしまう等いろいろとまずい。そのうえ人の顔が殆ど覚えられない。顔をみてきちんと話さないせいか大抵は体型や着ているもので判断するしかない。そうすると、例えば看護婦さんがたまたま私服で外出しているのにでくわした場合などうまく見分ける事が出来ないのだ。以前京都で下宿していた時にそこの大家に嫌われたのも、近眼で相手のかおを見落とし一瞬挨拶を忘れた（といってもその場ですぐさま気づいてしつこくペコペコしたのだが手遅れだったらしい）ためだったし、ともかく近所の人間とトラブルを起こしたくなかったのだ。いや、普段はそこまで徹底的に考えはしないのだが、いざ医者に行くとなるとナーバスに思い詰めた。痒みで神経までいかれているのか、それともそれが本性なのか、とりあえず嫌になった。といって他県に出掛けていく程の極端な真剣さはなく、そこで病院の場所に、大通りを渡った向こう側という条件を設けた。さらに問題になるのは待ち時間であった。何か話しかけられるのが怖かったのである。別に自分がひどく話下手だとは思わないのだが、ただ何をしているのか訊かれるのが嫌だったのだ。

何を訊かれても、ナニモシテナイ自分というものにつながる後ろめたさが出て来るから。

一旦話し始めるとさ程でもない事は今までの体験から見当が付くが、結局、見当と想像とは常に擦れ違うわけで、話さねばならない事を想像するだけで全ての歯が熱したガラスのように溶けて、くっつきあってしまう。そこで待ち時間にどこかヨソへ行っていられる、繁華街に近いところという条件も加えた。のんきな事を言うようだが、手を使えない人間が見て歩く場所というと美術館とデパートくらいしか思い付かなかった。立ち読みしようにもページは捲れないし、監視する人間のいる場所へゾンビで入っていくのはなかなか苦しい。図書館も美術館もジャズ喫茶も遠い。いや、ジャズ喫茶は知っている店員がいるから異形を見られたくなかったのだ。相手の目を意識しているからという事もあるが、それよりも自分が皮膚病に罹る、生臭い現実の人間であるという事を、家族でもないただの顔見知りに意識させる、そんな緊張感が嫌だったのである。病気以前の私、病気中の私、病気後の私、この三つをかさねあわせるとたまたまそこにいただけの人の目にもなにか意味ありげな人間像が出来る。するとそんなものをわざわざ見せたくて来ている人間のように思われるのではないかと、私は恐ろしくなってしまった。そういうわけで、人に触れず、人に会わず、職業的店員と一般買い物客とが擦れ違うだけの、デパートに行く。

病院のスリッパは重ねてあって嫌だ、というので以前に好奇心だけでドラムを叩きに通っていたスタジオ用（そこはとても安いが普通の客間のようなジュータンなど敷いてあって土足厳禁スリッパのみという変った場所であった。室内専用の靴を用いるのも禁止らしく、いや、クラシック顔の超丁寧な初老の男に向かって打楽器の楽譜を辛うじて読めるだけの私がそんな事を交渉するだけでも充分に死にたい気分が強くなってしまう故に、仕方なくスリッパのままペダルを踏んでいた。ところが足の裏一面にまめが出来た。それでも尚意地で続けてみたところ今度は腰と足首と手首が一度に痛くなり、呆れ果てて止めたという来歴のある）スリッパを通院用に下ろす。そして無くすといけないというので、わざと取り出し難いところに突っ込んである保険証を取り出す。加えてハンカチとチリ紙と人避け用の文庫本をバッグに収めるとそれだけで妙に充実してしまい、一旦腰を降ろした。

途端に強い幸福感が溢れ耐え切れなくなった。

既に森林の苔と化した私の唯一の問題点というのはこの湿疹だけで、それは医者に行けばたちどころに治るはずなのであった。昨夜まで不治の奇病だったはずのものがどうしてこういう事になっているかというと、それは無論自分は植物のうちでも原始的な苔なので人間の奇病には罹らないからだ。ではそれではなぜその人間の罹る湿疹に罹ってしまったのか、これは一切判らないという世界である。要するに意味もなく幸福になって、それで済むはずないのに済むと信じてしまっていた。時間の流れも急に静かになり、なにもかも解決する一歩手前という、あほらしい感慨に耽っていたのである。痛いのに腹が減り、だるいので腹ばい、指は手袋してももう使えないので、西洋料理に使う大きな木の杓子で米を研いだ。急激に元気が戻っていた。パンもモチもアラレも食べ尽くして、いつもの二倍位食べたはずだが、食べたという実感はどこにも無かった。たとえ食物を数え上げて名前を言う事は出来ても、それに触れた咀嚼したという確信が失われていた。例えば、パンと言った時に、色も固さも丸みもなんにも出て来ず、ただ透明なナメクジのような形がふわふわしただけだ。餓鬼道に落ちていた。そのくせ体重は連休の三日で三キロ減ってしまった。

掌で電熱器のスイッチを入れ粥を炊いた。吹き上がったらいきなり医者に行きたくなり、電源を切ってすぐさま出掛けようとし、でも出掛ける前に結局また痛みを堪えながら、両手に熱いシャワーを掛けるしかなかった。そうしておかないと、ぶかぶかのポリエチレン手袋にも収まらない程に手は膨れたのだ。一旦萎んだ手はヤケドの後のようなドス黒い気味の悪い色に沈んで死んでしまっていた。温めれば良くなるはずなのに妙だと思いながら、また痛みを堪えつつドアを開けた。

久し振りに出た朝の街路は光に角があった。ゴミの臭いだけが白っぽく冷たい朝日の中を漂っていた。出会う人間が全て怖く、そのゴミの臭いの中に、私の腐ったような手の匂いがいつしか混じっていた。ガンで死んだ祖母の病床と同じような匂い……電柱の広告を目当てにして歩き、頭を二度程街路樹の幹にぶつけただけで、医院に辿り着いた。

滅多に医者に行かぬ人間の常でする事がいちいち間抜けだった。

診察時間九時半と書いてある所に十時頃行き、待合室に数人しかいないからといって安心していた。だがそこは三代続いたその町内のための医者といってもよく、殆どの人は順番だけ取って一旦家に戻る。座って待つのは受付開始時間或いはそれ以前に診察券を提出していたか、或いはこの待合室を自分の茶の間のように感ずる事の出来る常連であった。

窓口で家族から分離して貰った保険証をだすと、背の高い彫りの深いナースがややめらったような声で、あの時間が少々掛かりますがと警告を発した。私はその少々の見当が付かず、一時間位と自分に都合のいい、同時に自分では結構辛いつもりの数字を出してみたのだ。と、またためらい、ええ、一時間ともう少し位ですね、……どことなく悄気た受け答えであった。

症状を尋ねられ手袋を取ると、それだけで異臭が、洗わずに乾かした流しのような臭いがきつくなった。だが十分ほど前に湯で小さくした手は、異常に変色していても別に痛そうに見えなかった。再び手袋をはめて繁華街をさ迷う羽目になった。一時間後に診察室に戻りさらに三時間待った。

うろつくはずだった繁華街ではまず立ち尽くしてしまった。交通量はともかく人気の少ない分空気が綺麗で、街路には打ち水ではなく掃除の後を流したバケツの水が、朝日に反射していた。気を取り直して午前中のデパートに入ってはみたが、洋服や家具を買う予定はなく、考えてみれば食品売り場でも買い物は出来なかった。待合室に食物を置いても別に構わないのだろうが、どういうわけか、初診でポリエチレンの買い物袋を提げて待つという設定は自分では気にいらなかったのだ。大きなバッグを持ってくれば良かったと気付いた。冷蔵庫はもう空で買い物はしなくてはならなかった。でも待ち時間が判らないのだから生物は買えなかった。

ヌイグルミ売り場に行こう、と思い付いたが、ポリ袋をはめた手でシールのウサギに触っても仕方がなかった。ペットコーナーに行けば手の臭いを腐肉と間違えられ、喰われそうな気がした。エスニック商品のある階を選ぶと、なにしろ午前中なので商品陳列の仕上げなどしており、別に慌ただしくはないが気兼ねではあった。だがそれでも用もないそのあたりに吸い寄せられ、真っ黒に変色し円板のように分厚く巨大な、国籍不明の銀の古皿や、とても自分では着られそうにもなくまた買えそうにもない、複雑なすかしのある半透明なサリーをしげしげと見た。現実に欲しいというのではなく、だからといって風景のように通り過ぎるのでもなく、ただ、視線がそこへ行った。といってもぴたりと合うのではなく、その商品の回りにある空気を、またその空気の実体のなさを、それ故の安心感を捉えるために、ただ皿や布地の回りを、視線はさ迷っただけだ。

直径一メートル厚さ三センチの黒化した銀の皿の、彫りも丸く老け凸面さえも砂と粘液に交互に曝されたような汚れ方に魅せられ、尊い程に掻き曇っているその表面に、視線が近付く。わらわらと正体不明の幾何学模様が、皿自身の意志でイレズミしたように展開していて、それが気になり始め動けなくなった。でも、じゃあ、欲しいのか、いいや、別に、――。

家に持って帰ろうと思うわけでもない。写真を撮って飾ろうというのでもない。これがないとストレスで死んでしまうなどと思ってもいない。道に落ちていたら、拾わないであろう。いきなりプレゼントされたら怒り狂うだけだし。だが、価格も値打ちも判らないままでゴミ置き場に出ていたら持ち帰ってしまう。いや、持ち帰っても使いはしない。毎週ゴミ置き場の前に出してしげしげ眺める、他の物好きが持って帰ろうとすればワタシノデスッ、と言って家の押し入れにしまう。――そういう曖昧な物欲を前提にして台所の玉葱を入れる皿にすれば、とあり得ない事をぼんやりと考える。無理をすれば買える値段だろうがナニモシテナイ私が買うはずもない。第一玉葱を載せたその皿一枚を足元に置けば、ワンルームの台所兼廊下という一畳に満たないスペースが、通行不可能になるはずであった。だがそれでも想像は走るだけ走った。

まず、玉葱の綺麗に枯れた薄い茶色の皮や、皮から覗いているつるつるの緑や白を、その皿と調和させるために置くのだとすれば、最低でもそれを十二個買って飾るしかない。一ヵ月に三個で済む玉葱を皿一杯購う。もちろん皿を持って買いに行き、捧げて帰って来る。結果、ワンルームで腐らせる。

私は玉葱を三年前に半個だけ腐らせた事があるが、それは腐るとまったく命懸けで臭い。(今でも覚えている)しかもその腐った汁は皿に染み込み、ただでさえワケノワカラナイ模様はなお一層不可解になってしまうのだ。――想像し終えると、皿に対する欲望の形は定まっている。買わない、でも、ちょっと、触る。が、そこで、――。

私は店員の目を気にしながらその皿に指を掛けて持ち上げようとし、それが出来ない手の自分を思い出してしまった。すると余計にそこからはヨソの国の透明な気配が染み出し、あたりを包む程の魅力が生じた。だがいつしか、自然にしらけており、その場を立ち去った。皿の質感、「皿の空気」だけを気に入ったまま。

サリーが好きなのも、要するに生地が好きだからだ。体型もデザインも値段も関係ない。サリーの広々した布地はひたすら、新しい手触りや目に染みる色彩だけを零していた。結局文房具売り場に行きそこで手袋を填めた。デパートの建物に入る前に手袋を取って、風の当たるところで異臭を散らせておいたから素手であったのだ。午前中ならば広くて人気もないからそのまま歩けると思ったのに。籠もらせるよりまし、でも急にカードを選ぼうと思い付いたため、エスカレーターの陰で再びそれを纏うはめになった。ポリエチレンの袋を填めた手で一枚一枚カードを捲るというのはかなり大変だったが、手袋の表面はまったく清潔であるため特に文句を言われる事もなく無事に選び終えた。しかしレジの手前まで来てまた立ち尽くしてしまった。少し考え、カードを腕に挟んで再び素手になりサイフから消費税分の一円まできちんと数えて出し、再び手袋を填め、カードはそのまま、片手に代金を持ってレジに近付いて行った。

脇の下に挟んでしまったカードは絶対に返品出来ないような気がして緊張した。一枚一枚ビニールで覆ってあるのだから別に構わないとは思うのだが、湿疹、ポリ手袋、脇の下と続くと、自分の病気が染み出してきているような気がしたのだった。

無事にレジを通過して異様に充実した。時計を見ると医院を出てからまだ二十分程しか経ってなかった。

デパートの入り口にある喫茶店で三十分過ごしたが客は私ひとりだった。

待合室に戻ると痛みはぶり返していた。いや、外の風に当たって紛らせていただけで繁華街もせいぜい一時間が限度だった。すぐに手袋を取り、一番人数の少ないソファーの端に腰を掛けた。待合室も診察室もかなり広く、二十畳程のところに数人掛けのソファーが三方を占め、トイレの入り口に椅子がふたつ。患者は私を入れても十人もいなかったはずだ。が、最初たまたま目に入ったふたり連れが、先程とまったく同じ調子で喋っているのに気付き時計を見た。本を開き暫くは熱中していたが、出掛けにあれだけ温めたはずの両手が腫れ始めていた。素手でないと本のページは捲り難いのだが、手がページに粘り付く状態も始まったのだ。薄赤い染みが出来るのに閉口して本をしまい、他の人々の視線に気付いて両手を重ねた。ひどい方の右手をましな左手で隠し、両手とも指を握ろうとした。が、それもまた曲がらなくなってしまっていた。強いて曲げておくとリンパ液が出た。痛いのと退屈しているのは別だなどと妙な事に気付き、ただ延々と待った。待っている間に人の話が自然と耳に入っていた。ここの医者についてもいろいろ判った。

ここはもう三代も続いている事、子供は眼科医になっていて外科もあるが、手術は大学病院に依頼している事、今日は連休明けで堪えていた人々がどっと押し寄せ、初診の人が多いのでひとりひとりに時間が掛かっている事、先生が非常に丁寧に診るので余計時間は掛かるが、少々待ったところで構わないと思う程親切である事。

常連が時おり混み具合を見に来た。が私の方へも視線を投げ、すぐ帰った。

——普段ハコンナニスゴクハ混マナイケドホラアレ、連休ダッタカラネー。

——母ガネ、縫イ物ヲゼンブ、自分デイタシマスノ……。

——アラマアソレハソレハ……。

ゆったりした優しげな話し声なのに湿疹に響いた。声の方を見るとやっと六十代にはいったくらいの女性である。母親程の年齢の相手と話していた。声は棒のようにこちらの耳にまっすぐに入り込んで来た。母親が縫い物をするという話題で私は自分の祖母の事を思い出した。祖母は七十五歳の時に私に和服を縫ってくれた。成人式も卒業後も親にさからって着物を着なかった（正確に言うと二浪していたので成人式はなかった）のだが、祖母を喜ばすためにそれだけは着た。が、その時、こーんなおばあさんがぬったんだからたいしたもんだよなあ、と言って袖を通すと、祖母は私は少女のようなのにと言って怒り狂った。おまけに着物を着た私を見て、買ってやらないから着ないのだという態度を祖母が露にしたため（或いは周囲が祖母のはしゃぐさまを見て邪推したため）家庭争議となった。七五三あたりから何かとこういう問題が付き纏っていて、私はまったく和服に、というより着飾る事に馴染まないで育ってしまった……まあ、八十九十で縫い物をするといっても私は別に驚かない。だが聞いているうちにどうも事情が違うらしいという事に気付いたのだった。

——あの頃は、戦争中でございましょ……いいお医者様がいなくて……エエエエ、みんな戦地で……でも私が糸を通しておきますとね、後は全部母が自分で縫いまして……

治療が出来ないと眼球がどんどん進行致しまして萎んでいくというのか。

――デモオゲンキデ。

――ええ母が元気なのでとても安心……。

独身で母親といて年寄りの耳が遠いから声が大きくなる、と勝手に納得した。納得しつつも手はさらに腫れた。別に痛くもない顔のあたりまで、のっぺらぼうになってしまいそうであった。

二時間目に入り、パンでも買ってくれば良かったと思い始めた。常連が昼食を取るために一旦帰ると、待合室の中はほんの数人になった。殆どが慢性の成人病患者らしく、ただひとりだけ私と同じ感じで痛みをこらえている人間がいた。片目を真っ赤にした男、額と顎に手を当て、顔を引き延ばしていた。私は次第に不機嫌になった。というより退屈で間が持たないため不機嫌の演技をし、時折イタイ、と呟くようになった。手の甲もびらん箇所もついにまったく同じ色になってしまい、関節の皺までなくなっていた。目の前にありながら他人の手のような気がしてくる程変質しており、催促がましいと思いながらも、時々診察室の入り口に近寄って様子を見ないではいられなくなった。

医師は七十歳位の大変痩せた人でふわふわした灰色の髪が顔の両側で逆立っていた。謡のようなよく通る声で喋っているのだが、どういうわけか内容がこちらには聞き取れない。マツゲヲヌク、という言葉だけが漸く判る程度だった。患者が出て来た。アアベツジンノヨーデス、ベツジンノヨーニナオリマシタ、アリガトーゴザイマシタ。

実際に出入りした人数は三十人もなく、だが混雑する大通りの端で半日座り込んでいたような気分に私はなりかけていた。名を呼ばれた。同姓が前にふたりいたので、その時も大声で返事してしまった。

どうしましたか、と聞かれてすぐさま両手を出すと、ひええ、こっれはまたどーしたんですか、と驚かれた。私は自分の病気について、知っている事を纏めようとして焦るしかなかった。だって、――。

――これはまた、ひどい、接触性湿疹、どこでこんなにして来た、なにを触りましたか。

と言われたから。その時点で私は自分の病気を疱疹だと思い込んでいたのに。接触性湿疹というものはいつものただのカブレに過ぎないのであって、そのせいでこんなに腫れたり肋骨まで痛んだりはしないのだと勝手に決め込んでいた。馬鹿な説明を始めた。なんだか体が弱っているようです、というのはまず最初こちらの目にモノモライそっくりのへんなものが出来て……医師はびっくりし、だが私はあまりにも緊張していた。

――なにっ、モノモライ、へんなもの、どこどこ、どっち、え、ないですよ。ないんだそんなものは、ええ、どれの事言っているのか、どれか、ああ、これ、これ……ふむ、これはモノモライデハナイッ。

これは正常な状態だ、ロホウというものです。生まれたての人間にはないが別にビョーキではない、あっ、あああっ、まつげが入っている。待ちなさいっ、今からまつげをトル、あっ今下の方へ落ちていったぞっ、こっちへ来なさいっ。

手の病から発して、一転、まつげが入っているという事が重要になった。暗幕を張った部屋へと急に導かれた。目を洗って貰い、一回では取れないので何度もその部屋と元の診察室とを往復した。私の目には何日かに一回まつげが入りその度に充血し痛むのであった。手が痛いのでまつげの方を忘れていたのだった。

——下、見てください、下、見る、下。

下を見るとまつげは出やすいのだろうか。水道の水で洗う時にも下を見てみようか、それよりも目を洗う道具を買おうか。

手と膝と肋骨に沢山の針が刺さっている。熱を持ってきたようだ……自分の体ばかりを考えながらも意識は目の前の人間に向かって尖っていた。たとえ相手が医師であっても緊張の種になり奥歯が鳴るのだった。が、相手の口調は急に穏やかになった。

——おっ、キミは、あるね。

ふと「日常」に戻った。いつもの話だから。

——はい、あります。

私の眼球には視力に差し支えのない些細な特徴があり、眼科に行けばまずそれを指摘された。といっても大人になってから眼科に行ったのはたったの二回だ。

——非常に古いものだよ。

——そうらしいです。

豆粒程の脱脂綿を持たされ目の縁を押さえるように教えられる。皮膚科の方の診察室に移ると、心の障壁は取れてしまっていた。私は何も気にしなくなり動物のように投げやりな受け身な感覚になった。医師は緑のラシャを張った皮膚科の本を、取り出していた。高校の保健室にあった色覚検査の本の装丁と同じ緑だった。濃いのに、目を刺激しない。といってても別に心引かれるわけではないごく普通の緑。

——はい、これをご覧なさい……ほらこういうのを……。

そこには私とまったく同じ形に膨れ上がった、色までボタン色の片手が写っている絵が出ていた。それは洗剤でかぶれた症例であった。ア、オンナジノガアルッ、と私は思わず異様に嬉しげな叫び声を上げた。その手の上に無数のひび割れを付け加えれば私の手だった。

——かぶれるのです。君もかぶれたんだ。いろんなものでかぶれる、最近は外国からいろんなものが来るでしょう、こんなふうな、これは外国のものでかぶれたのです。こんなに、木の腕輪をしただけで黒くなって、放置すると他のところにも、……、こういう直接接触していないところにまで及ぶ場合があります、これ、そう、これもそう、自分の身は自分で守らないと駄目だゴム手袋して。

——ゴム手袋でもかぶれて……。

——だからっ、自分の身は自分で守るんだっ。

医師は怒り声になった。

——いろんな人がいる。ゴム手袋でかぶれる、もちろんそんな人もいる。その場合は下へ軍手塡める。それでもかぶれる人はポリエチレンの手袋を重ねたりします。あんたは学生さん、下宿、当分はなんにも出来ないよ、フロだめ、コーヒー、紅茶、ワサビ、刺激物、ぜんぶ禁止。

——煎茶もだめなの。

——番茶、せいぜい、温かいシャワー、だってそれじゃ手が使えないでしょうが。

してきたポリ袋をバッグから取りだして医師に見せた。彼はそれを手に取って大真面目にみた。で、聞かれてしまった。

あなた、学生さんじゃない、お勤め、仕事どんなのなの、どうして来なかったの、それじゃどこ行っても困るだろうが。

——家、で、……ワープロを打っています。御飯は、いまはつくらないですから困らないです。

ナンニモシテナイワイッ、と叫びそうになって、辛うじて誤魔化すとどういう理由なのか医師は急に笑った。

——でも、その手袋はいいねー、一体、なんでかぶれたんだろう、シャワーの時なんかも手袋を塡めてね……いつからかぶれたの、洗剤使いましたか。

様々な原因が重なっているように自分では思っていた。だがやはり直接は液体石鹼なのだろうか。でも私はナニモシテナイ事が根源的病なのではないかと疑い始めていた。

密室の中の一心にナニカシテイル私が、外界のナニモシテナイ、私にかぶれる。

医師はカルテを出し、最初に痒くなった時の状況から第一に斑点の出た箇所まで丁寧にたずね、それを全部きちんと書き込んで行った。看護婦さんが側に来て手伝おうとすると手を振って留めた。

――待って、スケッチをする。これは私でなくては判らんから。

両手の形を描きその上から赤のボールペンで傷口のあるところを塗り潰していった。塗り潰しながら、ゼンブダ、ココモゼンブ、と呟くのだった。呟きながら驚くその表情はきつく、私は自分がそんなに驚かれる存在だという事に当惑した。

間を持たせるつもりで、ただ単に思い付いた事をなんでも喋ってみた。

――温めたりしても、治らなくて。

わあ、と相手は軽く叫んだ。やはり自分が驚くような事をしたのだと気付かざるを得ず、そこでカイロからトウガラシについてまで語るしかなかった。

――あああ、……冷やさなくっちゃ駄目だ……一生懸命悪くしていましたなあ。

治療も、大変であった。

私は診察室の椅子にわざと不安定に座り直し（特に理由はなかった。いや、安心の余りにそうしたのかもしれなかった）、両側から白衣の天使に腕を支えられた。たかが手のカブレなのに様々な言葉で慰めてくれた。毎日こんなふうに優しくしているのか……

天使の手は冷たくて触れられる度に、奥歯の芯から痛みが溶け落ちて行った。その手は医師の指示した白い軟膏に透明なものをいくらか篦《へら》で混ぜて、自分でもおぞましいような指へ大量に手早く塗り付けてくれた。マア、アタタカイテ、アアアッタカクテキモチガイイ……天使は私の手に触れながらそう言うのだった。気兼ねさせないために言うと思ってはいたが。

同じ言葉をよその病院で聞いた事があった。祖母がガンで死ぬ時、高熱の手を握ったまだ若い婦長さんが同じように言った。外にだけ異様に愛想のいい祖母がその人だけは本当に良く思っていたらしい。といっても天性の詩人だった祖母に本心というものがあったかどうかは、最後まで謎のままであったけれど。

待合室での四時間はもう溶け落ちていた。休み明けで初診の人々が詰め掛けており、私もその初診の人々のひとりなのだから仕方がなかった。連休のせいでそうなったのだ。いや、国民の祝日。

感覚がプラスチックの白い球のように変わっていて、あまり何も考えず、ひたすら受け身の状態でもう物も言わなかった。ただ看護婦さんの顔を時々盗み見ていた。ひとりは私より若い感じ、ひとりは一世代上に見えた。

過敏状態になった私の手にはもうバンドエイドを貼る事も出来なかった。十本の指全部にガーゼが巻かれた。掌もガーゼに包みこまれてしまい、塗り薬二種、飲み薬三種類が机の上に並んだ。そうしておいて、薬の説明が始まったのだ。

――いいですか、今体の中で毒素が荒れ狂っています。ですからその毒素を薬で押さえなくてはなりませんが、これはホルモンの入ったとても強い薬で、体の反応を鈍くします。しかし一旦使い始めると急には止められない、まず一日三錠、三日間続けて、様子をみながら、量を減らしましょう。まず、こちらの錠剤は大丈夫です。でもこの強い薬は大変眠くなります。運転をしてはいけません。それからこの塗り薬は、こっちは普段につけても肌にいいくらいだ。でも、もうひとつの方、これにはよく注意して、強い薬ですから、使い方を誤ってはいけませんよ。患部にだけごく薄く塗る。いい加減に塗ったり塗りすぎてはいけない。両方の塗り薬は同じところに同時に塗っても構いません。三日たったらまた様子を見ましょう。

アリガトーゴザイマス、と、ヒヨが鳴くように私は繰り返して戻った。

診察室から出て、薬を受け取るまでの一分程を腰掛けて待った。頭の中がぼんやりして気楽だった。他の患者が寄ってきてドウシタノデスカ、と尋ねてきた。そして、――。

――ソノホウタイハドウナッテイルンデスカ。

私は湿疹についてかぶれについてすらすらと答えた。診察室での受け身の状態がまだ続いてもいた。それにナニモシテナイ私は、ビョウキの私になっているので、さ程他の人間をおそれなくても済んだ。

薬を受け取り、ポリ手袋を嵌め、ぎごちなくスリッパをしまって、ドアを開けた。外の光りは新しいが、歩くうちすぐさま指関節のところから血が滲んで出た。もっともポリ手袋で気兼ねしながらうろうろするより、包帯を巻いている方が気楽ではあった。近くのマーケットで久し振りに、様々な、といっても出来合いの食物を買い、同じ店内の薬局で替えのガーゼを買い、イマ手ガ痛イノデと平然と言い、財布を開けて中に釣り銭を入れて貰ったりした。読むものもコンビニでしか買えなかったので二軒の本屋に行き一本指で棚から引き出した本を何冊か買った。私は普段よりも人間らしいし、愛想も良かった。犬も吠えなかった。いや、犬はただ腐臭が気に入ったのだろうか。

部屋に帰ってすぐ包帯を毟り取るとスウェットスーツに着替えた。安心して買ってきたおかずと温めた粥を食べたがあまり入らなかった。眠くなるという薬をさっそく飲み、それだけで異様に充実した。家に電話をすると（朝医者に行くと告げておいた。別に心配させるためではなく、普段からTシャツ一枚買っても母親に報告する）母が心配のあまりにはしゃいでいた。追い詰められてパニックに陥っているのを聞いている内、私の歯はなぜか音を立てて鳴り始めた。出来るだけ症状を軽く言って母を宥めた。だが、薬を塗ったところが却って熱を持ったようでとても痒く、指を立てて掻くとその指も痒く、そこで薬を飲んで眠り目が覚めると、掌は発熱しているのだった。

……薬を飲んで眠る。起きて薬を飲む。起きるのは必ず薬の時間だ……。

次の朝両手は静かになり、塗り薬の跡は粉を吹いたような感じに落ち着いていた。三日間で腫れは完璧に引いた。夢も戻ってきた。

夢の中で父方の田舎に私は泊まっていた。あてがわれた寝室の頭上に神棚があった。夢の中でがたりと神棚が鳴り、その扉が開く。私は眠いのでそれを閉める。が眠ろうとすると音を立ててまた開くのである。仕方なく、ベッドの上に立ってその神棚をのぞく。中はタナバタのように派手に飾ってある。五色のリボンがたなびき、内部は千社札のようなステッカーだらけだ。そのステッカーは、黒地に白抜きの漢字二文字で、基衡、安徳、と記されている。だがそれで別になにかが判るというわけではない。いつのまにか、親戚の子供と称する髪の長いとても可愛らしい女の子が側にいるのだった。

――ワタシハ十三歳デ、ハヤコ、トイウ名前、陸上部ニ入ッテマス、他ニ、ヒクオ、ト、カルオ、トイウ男ノ子ガイマス……ココカラ南、十六キロ、窓ノ外ニ。

女の子の声は低く穏和なのに妙に軽薄である。世の中に冷めている印象がある。髪は平安時代のような細い真っ直ぐな黒い髪で、頭はとても小さく、目鼻立ちも父方とはちがって小さく整っている。本当に親戚の子供だろうかと、私はどこか、うさんくさく感ずる。窓の外の景色も記憶にある田園ではない。低木が続き、道路も無い。父の田舎へは随分行っていないけど……。

と考えている内に一応目を覚ましていた。大嘗祭の影響で見ただけだろうとすぐに判った。ただの雑夢、別に感動するような夢ではなかった。

閉じ籠もる遊びを止めていたので新聞は読める。大嘗祭は長期に亘って行われなかった、とそこには書いてあった。

京都の老人の中に、自分で自分を町人と称していた人物がいた。ホラかもしれないが昔の町人は戦乱の時天皇に食物を差し入れしたと言うのだった。彼は陛下と言わずに天皇さん、とか、天皇はん（テンノーハン、と発音する）と呼んでいたが、何世紀も前の歴史上の人物に対して、親しみも敬愛も持っているのだった。テンノーハンは近所の上品な書家という感じで語られていて、同時に水戸黄門のような身近な有名人としてとらえられていた。

皇室関係が今全部「……様」になっているのは、どういう事情なのか私は考え始めた。例えば故郷伊勢では内宮はナイクサンだ。外宮はゲクサン、またゲクーサンだ。アメノウズメノミコトをオスメさんと呼ぶところもある。鮮かなタカミクラをふと思い出していた。

たかが軟膏一本で「天下の奇病」が落ち着いてしまったせいもあって、またカイフの万歳など見てしまったせいもあって、私はなんとなくしらけつつあった。強い薬がもしもステロイド剤なら、ただ単に症状を押えるだけだし、連用すれば副作用の危険はあるだろうと見当はつく。それでも楽になった事実は私を唯物的にした。そのくせ、自分の家の神棚の夢なら見るのだった。国家鎮護の神ではなく、自分と家族のエゴを守ってくれる無事と安全の神の夢だ。と、――。

いきなり万歳の由来を思い出していた。それを教えたのは大学教授ながら、授業中に学生を叱ってばかりいる人物で名は忘れた。バンザイは明治の頃に学者が考えた読みで、呉音と漢音できちんと統一したなら、マンザイかバンセイあるいはバンゼイなどという発音になると言うのだった。明治憲法のために作り、高唱に適した発音を選んだらしく、他候補に奉賀、ホーガ、というものもあったらしいが止めたという。奉賀だとどういうアクションになるのだろうか。足なんか上がりそう、腰とかも振りそう。いや、といっても昔々の記憶だから不正確かもしれない……。

結局一旦起きてすぐ、悪夢だった。体は動かず、二重にロックしたドアをびゅんと突き抜け全身の真っ黒な痩せた老人が飛び込んで来た。その老人以外はまったく現実と同じなのだから一瞬幽霊と間違えかねなかった。時々同じ夢に悩まされていた。普段の彼はなかなか出て行かずフラワーロックのようにふわふわ動いて非常に不気味なのだ。だがいつもと違い私は平気だった。そいつが一直線に動いてきた途端、アホが、と吐き捨てて寝たままで揃えた両足を蹴った。すぐにカナシバリは解け、そしてその蹴りに背中を蹴られたのと同じように、彼はびゅん、と窓を突き抜けて出てしまった。で、やっと起きた。

ずっとずっとアレルギーだったんだろうか、と私は「霊」やなにもかもを、アレルギーに結び付けて考え始めていた。

温めるのを止めた事もあってどんどん好転した。

劇的に治った手を剝き出しにして、二度目の診察の順番を待った。平日に戻ったのでさほど待たなくていいし、確かに診察が丁寧なのであった。心理的なケアもしているように私には思えた。ナンカアッタラココニクル、という気分に既に変わっていた。気楽に待ち、平然とじろじろと待合室にいる人達を眺め渡した。とても痩せた若い上品なおかあさんが生命力の固まりの脚力の強そうな女の子を連れて来ていた。その子供の年が私にはまったく見当付かなかった。子供は、入ってくるやいなや待合室を駆け巡りひとりひとりに完璧に愛嬌を振り撒いたため、やがて婦人達が子供を取り囲んだ。そうして子供は一歳であると判った。

子供って一年でこんなに大きくなるのか、と妙に関心した。もっと近くに来ればいいとは思ったのだが、どう関わっていいのか判らないのでただ笑ってみていた。すると、子供が近付いてきた。

菓子も玩具も、ヌイグルミもなかった。焦りながら慌てて手袋を塡めた。驚くといけないし、母親に無用の心配を掛けるかもしれなかった。私は年の近い弟とともに、一族同世代の最後の子供だったため赤ん坊慣れしてない。だが子供はそんな事には構わず人のバッグや上着に手を出し口に入れようとした。面白いのでされるままにしていると母親が止め、謝ろうとした。可愛いけど大変ね、とあやふやに受けた。すると相手は急に目をきらきらさせ、もう大変、もう大変、と訴えたのだった。子供はそれでもどんどん騒ぐので親の疲れに乗じ、子守りの振りをしつつ必死になって遊んだ。病院のスリッパを履きたがるが誰も構ってやらないので、そこにある限りのどれも同じ柄のスリッパを全部履かせてみた。こちらの脳もその子供と共に真っ白になり、スリッパを履く刺激と感動に満たされたのだが、たった数組を履き替えただけで相手は飽きてしまい、私はものたりなかった。そのくせそれだけの事でげっそり疲れていた。湿疹はもう安心なはずだったが、妙な鬱に実は襲われたのだった。

　子供の服装を見ていてそうなってしまった。幼児用オーバーオールに人形の刺繍のある白いブラウス、太い毛糸のカーディガンの真っ白な編目にキャンディの形の飾りボタン。ふわふわした靴下にも同じボタン。母親は地味な刺繍のある長いスモックを来て、いい色に褪せたジーンズを穿き、長い足でバッタが跳ねるように立ち上がるのだ。何度も子供に駆け寄り眉をひそめ、華奢な細い手で子供の襟元を直したりする。

　母親の赤い髪は背中まで垂れていても真っ直ぐで枝毛もない。きちんときった爪には薄いマニュキュアが塗られ、綺麗な親子だった。自分の子供はとてもこんなに綺麗にしてやる事は出来ないだろう、と考えたあたりから、既に、私は架空世界に、母そっくりな鬱の作り出す幻に引っ掛かっていた。しかもいつしかその落ち込みは快楽に変わってしまった。……どんなに高価なものを着せたところで私の子供は、現実を理解せず、社会を拒絶する子供である……そう思うだけで、空想の世界が冬のシリウスのように輝き昇って来た。

　子供とふたりきりの先のない生活、漂う聖域のような静か過ぎる時間。

ヌイグルミや悪霊と暮らす暮らしに結構満足しながら私は自分の子供も欲しいらしかった。

おとなと一緒に生活をする気はない。親がひとりになれば一緒に住むのだろうと思ってはいるが、夫婦の間に、或いは後ろに控えて、長女の顔をするのはもう出来ない。ふたりの間に私がいるだけでそこには不幸とストレスと不機嫌がどこからともなく大量に発生する。しかもそれらの原因は全部自分であるかのように思えて来る。残った親と住んで、それなりに共同生活をしてももう一所帯ではない。家族の名残である。ましてや夫といる自分等想像も出来ない。そもそも世間の人とまともに関わる事も、友達を作る事も出来なかったのだ。

恋愛の対象は親戚の目に付かないところに置いておきたいと空想する事がある。相手の親にもまったく会いたくない。いや、それよりもともかく自分で生んだ女の子が欲しい。出来れば娘だけを何人も生み、おとなになるまでは一緒に住んでいたい。娘の子供も全員女の子だといい。

マゴという言葉が私は嫌いである。姑とか舅とか称するよく判らない者がにたにた笑いながらマゴに手を出す、そんな状況がもしも私の身に起これば、私はその場でいきなり子供を叩き殺してその血と肉を全部喰ってしまうかもしれないのだった……とはいえ、架空世界だからそんなに深刻に考えなくてもいい。では養女ならばどうか。私自身が親戚の戸籍に換えられてしまうところだったのだ。遊び半分で想像はできない。真面目に養女の気持ちなどを気にし始めてしまう。

もっとも、——想像に首まで浸かってみたところで自分の子供などナニモシテナイ私ごときには夢の夢であった。夢だからこそ平気で鬱になったりして時間潰し出来るが。

そもそも……子供不可という表示とともに高騰して行く家賃や大気汚染の恐怖で、ナニカシテイル人さえ子供を持てないでいるらしいではないか。政府は別に未婚の母用アパートをあちこちに建てるという根性もないらしいし、そこにカウンセラーを置く事も、託児所のない企業から高い税金を取る事も特に考えてはいないらしい。子供を作りたい男女が作れないでいるというので、作りたくない男女を駆り立て作らせようとする。ついでに不妊の人達を攻撃するかもしれないのだし。

私が二十代の頃、人口増加で地球は潰れる、と威かされた。先進国の子供は大層な資源を喰い潰すのだとも。だが最近では、数年前まで人口増加を憂えていたはずの（記憶違いだろうか）どこかの文化人は、福祉社会に若い人手が必要だなどと、目の玉のでんぐり返りそうな事を喋っていたりする。それでは数年後には多産で国を滅ぼす女どもなどという攻撃が始まるのだろうか。

私はあの消費は美徳が一転して省エネに変わったあたりからマスコミの言う事は全部疑い、結局は自分の好きなようにするというのに憧れている。だが所詮はころころ変わる世間の言い種に影響を受け、焦りつつ生きる。

いや、そんな大層な事を考えているわけではなかったのだった。私の気にいるような育て方をしたら子供は社会からドロップアウトする、という恐怖。だが多分本能のように自分の生き方をそのまま伝えてしまうだろうという確信……よその可愛い子を見ていてふと浮かぶシーン。

それに男の子が出来たらどうするのか。まあ男でもいいけど。別に異種だと錯覚し窓から投げ捨ててしまうわけではないだろうから。だが男を育てるのはやはり不安だしまったくイメージが湧かないのだ。自分が子育てのノイローゼになってしまうかもしれない、恐怖。子供は好きというより面白いけれど、というより欲しいのだが。

こうして架空世界は洪水と化し、私を鬱の方向へと押し流すのだ。だがふと冷静になって考えてみると、その子は着飾った自分を意識しているようにはとても見えず、人形のような服を突き破って叫び出し兼ねなかった。母親の努力などまったく踏みにじっていた。つまり、「着飾ってやれないからかわいそう」なんてことはないのかもしれない。

元母親達がもう構ってくれなくなってしまったので女の子は床をどんどん踏み、長椅子の足元をひとつずつ叩き、患者の荷物に顔を当てようとした。スリッパに関心を持ったのと同じ調子で、今度は自分の靴下を脱ぎ掛けにしたまま歩いていた。足首だけ出して引きずり歩く遊び。

若い母親はいちいち抱き上げて元に戻すが、子供はまたすぐ片手だけで引き降ろすのだ。母親は小首を傾げてため息をつく。動作や表情が優雅なので余裕ありげだが結局はまいっているのかもしれなかった。その様子に元母親達は、子供に話し掛ける体裁で口々に言った。
　暑いねえ、厚着過ぎるんだよ、脱いじゃいなよ、お母さんが無理に穿かせるんだよね
え、嫌だねえ、脱いじゃったら、ほらほら裸足になると気持ちいいでしょー……。
　母親は彼女達を窺うようにして顔を赤らめて笑い、私はと言えば、今度はこのような
付き合いの中に入っていけない自分というものに悩み始めた。言われた事が当たってい
ても間違っていても、きっと同じくらいのプレッシャーを感ずるだろう。子供はきちん
と社会に繋いで育てなくてはならない、私にはそれさえ出来ないかもしれない……まっ
たく鬱の時は次々と悩まされる。
　待合室で社会復帰してしまったせいだったろうか、私はよせばいいのに自分と他人と
を比べていた。自分にはまだ子供はいないのだから今のところは別に考えなくてもいい、
という考えにやっと幸いにも辿り着くと、今度はまた手の方が気になったりするし。
　治り掛けの手は暗く沈んだ染みのようなものにところどころ覆われ、固まった鱗状の
皮膚が剥がれ掛けていた。それを見ている内にこの沈んだ染みの色が、ずっとここに定
着してしまったらどうしようという恐怖感に閉じ込められていった。治るまではただ痛
みで夢中だったのに、今度は細かい事にまで気が回ってしまい、しかも疲れのせいでそ
れが取り返しの付かないものに思えてきたのだった。
　子供が来たというので慌ててまた手袋を塡めた。子供はそれを引っ張って脱がせる遊

びを始めてしまった。コレハウツリマセンカラと母親に説明した。彼女はまた顔を赤くして先程と同じように笑っただけであった。

手袋を脱がせる遊びに飽きると、女の子は今度は私に手を差し出すのだった。手袋越しに手を握ってやると振り払った。そうしておいてまた手を出したが、振り払う遊びとも思えなかった。母親が駆けより、それはその幼児の、袖口を折って欲しいという意思表示と判った。

名を呼ばれ子供は抱き上げられていた。診察室の方では、目が赤いので連れてきました、という会話が始まっていた。声が途切れてまもなく子供の泣き声が炸裂して、会話とあやす声が交互になった。やがて母親に抱かれた彼女は身をのけぞらせて、自分の目の上を拳で叩くという状態で出て来た。すさまじい勢いで首を左右に降り、目薬をさされたのか瞼あたりを擦り、ショッパイヨーオ、と訴えたが、おとなは笑った。

泣き止んで衣服を直して貰うと、子供は母親から手渡された小さいヌイグルミのウサギの、頭を必死で噛んだ。

私は名を呼ばれた。その時もウサギは噛まれていた。あ、私も、と私は思った。

ずっと前からウサギのヌイグルミを買おうと思ってはいたが、色が定まらなかった。緑かピンクか。部屋に現在、幾つも飾ってある小型のものではなく、数十センチある対話用のウサギを買いたいのだ。飾ってある連中は何の迷いもなく私の部屋に来たけど。というのはそれらは私が珍しくもナニカシテイル状態の時に、ゲームセンターで掬ってきたものだったからだ。この掬いが私は比較的上手いらしく、こんな事だけ器用というのは却って情けないが、ともかく私と彼らには縁があった。そして、私はヌイグルミと「会話」するようになった。というか、家に来るやいなや、色柄も作りも超派手で支離滅裂な彼らはたちまち徒党を組みもっと面白いところに引っ越せとわめき立てた。彼らは商品としては粗悪品なのだが頭は仲々良く、その上自分がどんなふうに見えるかなどという事は大して気にしておらず、あまりにも元気で、私などよりずっと長生きしそうなのばかりだった。名前はここへ来る前から自分達で持っていた。中にはふたりでひとつの名前を共有していてしかもそれが普通名詞だったりするという、いい加減なのもいた。そして私がどんな印象を持とうが、彼らは彼らだった。だが、選ぶ買うウサギは縁が無かった。何年たっても、決らないのだった。

　例えば生地、ただ毛足の短めなボア、と言っただけでもう難しいし、ピンクなら比較的らくなのだが、緑となるともう難儀である。温かくて食物か花の色を連想させる色彩、よくあるパステルカラーというのも気後れする。昔給食の一日と十五日に出た、緑色のイモキントンと同じ色のウサギ（そのキントンの時の主菜はソーセージフライまたはクジラのノルウェー風、飲み物は脱脂粉乳のココアミルク、誰かがアメリカの豚の飲むミルクだと聞いてきたために学級の約半数が飲まなくなってしまった……）、あるいはピンクならばピンクのコチョウランがほんの少し枯れ掛けた時と同じような、可愛らしいベージュが少し溶け込んでいる、西陽のさしたような渋い色のウサギ、でも私はまだ、どちらの色にするかさえ決めてもいない。ウサギをふたつにすると両方のウサギに引き裂かれて、私は二重人格になってしまうだろうし。そればかりか最近では選択がどんどん複雑になってきているのだった。

……どちらのウサギとも決め兼ねるままに暮らしてもう何年も経って、半年程前、いきなり神託のように、なにも別にウサギではなくてもという考えが降って来たのだった。例えば、ヒョータン、紺色のビロードのヒョータンのヌイグルミだ。顔は神秘的なのがいい。或いはマグロ、がははと笑っている桃色のマグロ、そしてトンビ、トンビの場合は実物と同じ色の写実的なもの……。

極限まで球体に近付いた肥満体の鶯、という可能性もある。一旦迷い始めると自分の人格までもバラバラになってしまい、そのまま生霊になって彷徨い出そうだった。

診察室に入ると、劇的に湿疹の治った私は歩く治療成果という喜ばしい生き物に変わっていた。診察台に出された私の手を、医師は治った治ったと満足気に撫で、ついでに診察台のまわりを軽く叩いた。謡のような朗々とした声で、前はひどかったがもう健康、と笑ったのだ。

私はうっかりと禁止されたコーヒーを飲んで来た事に漸く気付いて、口の回りにコーヒーの臭いが残っているのではないかと気にし始めた。びらん部分が少し残っているのでそこにだけにガーゼを巻いて貰った。

――飲み薬眠くなりましたか、困りませんでしたか。

――はい、大変良く眠れて、良かったです。

医師が吹き出した。私はまた何か妙な事を言ったらしい。

最初の治療の日、同じ症例がもうひとり来た、という話が出た。やはり連休中を痛みで唸り続けたのだが、温めて悪化させたところまで私と同じだった。なんでみんな温めるんだろう、と医師は不思議がったが、その時には私もなんで温めてしまったのか、思い出せなかった。痛みの事ももう殆ど忘れていた。

膝も診て貰い、例によって思い付いた事を全部喋ろうとした。小学校の時湿疹になった記憶が蘇っていた。

――四年生の時にヨクワカラナイ湿疹に掛かりました、アカンボーノカオニデキル、湿疹です。

それがなんだったのか今でも私には判らないのだった。ただその時医者が言った通りの言葉をそのまま発音した。するとああ、アトピー体質の人はもうとにかく、と受け答えされた。私はびっくりした。アトピーという単語だけは知っていたが、自分とそれが関係あるなどとは想像した事もなかったのだ。

ある時、知り合いの医学生に自分のかぶれを、アレルギーという言葉を使って説明した事があった。途端に相手は異様な怒り方をした。
自分はデリケートだと言いたいのだろう、本当に苦しんでいる人は大変なんだぞ、ファッションでアレルギーにかぶれやがって……。アレルギー体質の男性作家がやはりそうして女のアレルギーを揶揄していた。でも私はそれなのだ。女がアレルギーに罹かるとごはんを作ってくれなくなると思い、パニック状態で罵るのだろうか。（まさか）それともアレルギーというのは思わず自分ひとりで独占したくなる程、上品で哲学的な病なのであろうか。だがそれは私の場合、ただ臭い。そして痛い。

四年生の私の手は痒くて汚かった。同級生はなにも言わなかったが、私は少しだけ気にしていた。水虫だと言われると嫌なのでいちいち勿体ぶって説明した。時には僻みおもねるようにして、私はキタナイやつでしょうと言ってみせた。相手はイイエイイノヨ、と言ってくれたが言い出しておいて、私はそう答えた相手を嫌いになったりした。生徒全員が素手でする運動場の整備が出来なかった。

運動場の端で、靴で赤土の固まりを潰していると男の子が来る。蔑みはてたような目でこちらを見て、オマエ、持ってるものだけは超一流、という。アカンボーノカオ……ほんの一年程に過ぎなかったのだが、同級生にもやはりそう繰り返したのだ。トマトのかぶれもイチジクのかぶれも、このかぶれもアカンボーノカオに出来るものなのだろうか……。

記憶の蘇りに溺れたまま、急に暗くなった私に看護婦さんがまた話し掛けてくれた。

――痛かったでしょう、最初に救急病院に行けば良かったのにねえ。

――皮膚病は急患じゃないからと思って。

――あんな大変なの、行かなくてはだめよ、痛かったねえ。

――ああ、もう連休三日間泣いてただけで……。

現実には一滴の涙も零さなかった、だがそれでは完全な嘘かというと、その時点に遡って想像の中で泣き、その事で感情を解放したという理屈だった。無論相手が甘やかしてくれたから解放出来たのだが。

きつい塗り薬の注意を再び聞き、薬の塗り方を指導された。

――分量はこれ位にしておきましょう。はい、手をこういうふうに重ねて擦り合わせましょう。チューブの真ん中を押さずにきちんと使いましょう。無駄にしてはいけない。もうお炊事やなんかはしてもいいから……強い方の薬はもう使わないで、治ったらすぐやめて、もうひとつの方は別に大丈夫です。ボクなんかは肌にいいので普段でも付けてる。手が、こういうふうにつるつるになります。

医師の手は真っ白で確かにきれいだった。眠くなる薬は二錠に減らした。

帰ってきてごく自然に掃除を始めた。受話器やワープロにべったりと塗り薬の指紋が残っていた。埃を気にする余裕がそろそろ出てきた。

一晩経つともう殆ど正常な手だった。だがそれでも右手は赤く手の甲も皺くちゃのままであった。最初に心配していた沈んだ皮膚の色は、殆ど蘇ってまもなく元に戻りそうだった。ただ肌理はひどく老けてそのまま定着するという予感があり、薄皮が張ったあともカサブタを無意識に毟っていたためか、毟ったあたりを中心に全体がぴりぴりした。頼りない皮膚、見ている内にまた自分で毟ってしまいそうになった。肉の部分に比べて、皮の表面積が足りない感じだった。突っ張っていて今にも破れそうで、血は常に吹きだそうとしそのくせ縮緬皺が伸びず、それを見る私はいつしか叫びそうなのを堪えていた。

一方日常生活はどんどん元に戻った。最初の治療から五日目の事、無意識に柿を剝いて手で摑んで食べた。食べてしまってから良くなったという事にのろのろと気付いた。が、コンニャクを千切ろうとしてすぐにかぶれ、放置した流しのぬるぬるに触れて水疱を出し、スポンジに残っていたらしい液体石鹼でかぶれたりした。

ポリ手袋でする家事は苛々するうえ、不器用にも何回か包丁を滑らせたりして（包丁は足に落ちたが掠っただけであった）、再びカップヌードルの生活に戻った。軍手にゴム手袋を重ねてもいいのだが怖くて触れなかった。水仕事の前に塗ると手が保護出来るという油を買って来たが、埃一粒でも痒みの種になりかねないと思うと、それも怖くてなかなか付けられなかったのだ。少量試みると手の甲にきた。

三度目で治療は終了となった。もうひとりの患者は職業柄、アレルゲンから離れる事が出来ず困っていると聞いた。なんとなく親戚の人のような感じがした。帰り道でまたコーヒーを飲んだ。

治療が終わって二日後、伊勢に帰った。商用で父が五日程旅行し、母ひとりになるのが心配であったから。彼女が一人で居られるわけはないと、私は思っていたが、ただの思い込みに過ぎなかったのだろうか。

帰省する日が、何の日か私は知らなかった。

新幹線のホームは妙に混雑していた。というより警官がホームを混ませていた。警官の大会でもあるのだろうか、とターミナルの地下で買った焼きおむすびと本、雑誌、母や近所への土産を提げ、（湿疹と帰郷で、私はナニカシテイル人間に一時だけなり、余裕あり気だった）ウーロン茶調達のために近寄った自動販売機で、私は使用不可の張り紙を発見した。

本当に何があるのか知らなかった。一方、一ヵ月以上も前から伊勢では全路地をミニパトカーが走り回っており、日本で一番治安のいい土地というやつに変わっていると、聞いてはいた。だがそんなの一ヵ月も前の事ではないか、という感覚がこっちにはあった。さらに自分の湿疹が一段落したため、他の事も全部終わってしまったという大変身勝手な錯覚を抱いてもいた。

でもその日、……駅のホーム全体が警官をのっけるような台のようなものに変わっていた。

歩くのさえ不自由で、私の進む方向にはどんどん警官の密度が濃くなっていった。おまけに似たような服装の駅職員までも、こころなしか増えている様子だった。こんな場所には珍しい婦人警官も。一時二十四分の下り列車だった。

　車内に入って席につくとまもなく、どこからか湧き上がった奇妙な安心に包まれてしまい、ほどなくホーム後方にどよめきが起こった時には、何も理解できない状態に陥っていた。……誰が来て何が起こったのだろう。どっかの大統領、ナカモリアキナだとか、と変な考えに走って行った（その発想は、後から考えると、フジモリ、とアキノ、の合体したものに過ぎなかった）。……アア、ナカモリアキナ、ソウ言エバ昨日ハ三島忌ダッタンダ、アアソーカココヘミシマユキオガキテイルノダ……、これも、後で考えればごく単純な連想に過ぎなかった。

　三島由紀夫が死んだ時、中学生だった。生者だったとは思っていなくて、そのニュースで今まで生きていた事を知った。子供の頃（というのは多分そのせいぜい一二年前）読んだ文学全集の中に入っていたので最初から死人と決め込んでいた。テレビと新聞で報道していてもテストの点数の方が大事だった。ナンカユーメーナエライヒトガ、ナンカエラクカワッタコトヲシテシンダヨーナ、ヨンジュウイクツカ、アンナトコニハイッテルヒトデモイキテイルノカ、アンナヒトニシテハエラクワカイナー……。

　文学全集はただ読めるところだけを読んだ。殆ど読まなかった作者だったけれど繰り返し読んだところが一箇所何ページかはあった。ミシマユキオの暗い物語で、題名は忘れた、というより見なかったのかもしれない。主人公の子供時代の描写が続いていて、だがおとなの難解な感覚の語りに入ると、目の前に靄があるようで飛ばしてしまった。どうせ飛び飛びにしか判らないのだし、その時の私が求めていたのは怖いお話だけだ。記憶にないが多分そんなシーンがあったから読んだのだろう……小説の主人公は私という間抜けな読者の目に、なにかに追われている、頭痛持ちのような人物である。その彼の子供時代、彼は天勝に扮装する。部屋にあるものを使ってする子供の女装である。もっとも、その作品での天勝は確か両性具有的な女性奇術師として描かれており、女装といっても一筋縄ではいかないのだ。ただ、そこでの男性美は祭り姿や昔の作業服など、日本風のもので表されていると当時の私は認識したらしい。いや、あるいはそもそもそんな複雑な事ではなく、ただ単に衣装の印象から勝手にそう思い込んだだけなのかもしれなかった。つまり男装の麗人要素は作品の主人公から、女装に対する抵抗感を取り除くのに役だっただけで、過剰な屈折ではないという解釈である。

そんな主人公が帯や光る物を着るので私は納得できたが、ただ彫金の万年筆や懐中電灯まで纏うというのにはちょっと首を傾げた。体にぴかぴかした品物を付ける、あるいは待つ事で女装のおぎないにする。――男の子とはいえども性別に偏見のない幼い時代には綺麗な衣装を着てみたいわけで、行動自体はよくあるケースだとしか思えないのだった。だがおとなの記憶を通して語る以上そこにはその記憶を強く覚えていたその小説の主人公の女装に対する視線が混じっている。だから着飾った子供がぼく、天勝よ、ぼく天勝とうっとりして言うのもただ単に手品師のまねをした、或いはただ立派な恰好をしたというのとは異なる翳りが、加わっていると思う。……中学生、或いは小学生の高学年くらいだったが、読んでいて万年筆、懐中電灯というアイテムのしつこさに吐きそうになった。それは私が従姉妹達のペチコートを着せられお化粧をして貰って、王女様になったのとは異質のものだった。性別が違うからという意味ではない。その時は言葉にはならなかった。

今考えるとそれは多分物質と人間の距離の問題である。という事は自分の肉体への認識の仕方だ。万年筆、何かその量感で皮膚が疲れそうだ。結び目もなく肩に掛ける事も出来ず、ポケットに挿せば生地が引っ張られる面倒なもの……子供の体に万年筆は大袈裟で扱い難くないか。電池入りの懐中電灯よりも却って不気味だし。

手を汚すインクが詰まっている彫金の固まり。私は大柄な子供だったがそれでも万年筆は飾り物ではなかった。でも彼にとってそれは懐剣の代わりだったのだろうか。いや、花嫁衣装の懐剣なら用途性があるが、手品師なのだ。一方、用途に構わず付けるというようなおおらかさもそこにはない。おおらかというよりは何かが抜けているのだ。その抜けが、「判らん」。ただ気持ち悪くかっこ良くおそろしいと思った。だが今では、書いてる時、そこに万年筆があっただけじゃないかと、想像してしまう。

そんな混濁した考えを破ったのは歓呼の声だった。ああ、神宮親謁の儀だ、といきなり、極端にはっきりと判った。そして二両後が専用の列車と判明した。伊勢神宮に向かう同じ列車ならば、宇治山田で降りるのだと勝手に決め込み、実際は鳥羽下車だったのだが伊勢神宮だから、そうと思い込んでいた。そしてもうひとつ見当外れに、専用列車というのはもう止めたのだろうか、とも。皇室関係というだけで人物の特定は出来なかった。現場にいると却って判らないものだ。

同じ車両の人々が首を伸ばし、ホームを振り返り始めていたが、何も見えず、後方へと走る人々の慌てようも、硝子越しのせいか妙に物静かだった。見えないはずのものに私も座ったまま首を伸ばしてみた。席を立ってもいいはずが例の警備に、無意識のブレーキが掛かっていたのだった。拍手、どよめき。最初は珍しくて面白かったが、すぐに妙な汗が出てきて面倒になった。私はいつか自分の飲み物の事を考えていた。車内販売でもウーロン茶はあったはずだが、アイスだけかもしれない、と……拍手が鳴り止むと後方から人々が連れだって帰って来た。新幹線が動いた。

東京から新幹線に乗る人々にはそれが近鉄名古屋駅を経て伊勢に繋がるという発想はないのだと判った。皇室、天皇、という単語がただ隣同士のそれも知り合いの間で囁かれただけだ。多分テンノーへーカだろうという事になってあっさりと車内は元に戻った。そこは喫煙車だった。私はただ自分の旅行環境について考え始めた。

禁煙車にした方が良かっただろうかと。

体力のある時なら禁煙車に乗り、元気な子供と友達になって楽しく帰れる。だが時々周囲を拒否しつつ騒ぐだけ騒ぐ家族連れとでくわすのだ。それで煙草も吸わないのに喫煙車にした。母ひとり子ひとりの組みあわせだと、両方と喋りながら行けるのだが。家族だと私なんか「排除」である。

家族連れのおとなが子供を歌わせる、金切り声で叫んでも止めもしない。もしも子供というものがどんなものなのか私に判っているのならば、注意するなり我慢するなりどんなにでも出来る。だが静かにさせて下さいという事も、本能ですからねえという事も出来ないまま、じりじりするだけだ。仮に育児書を読んで知識を得たところで、フン、コドモノイナイオンナガ、と言われたらナニモシテナイ私はもう何も言えなくなってしまう。喧しいおとなに暴力を振るう、或いは叩き殺す、という想像は出来る。だがどういうわけか私は今のところ、よそ様の子供を殺す気さえない。

外国の子供はおとなしいらしいが、私は子供についてだけではなく、外国についてもまったく知らないのだった。もう理性があるはずの大きな子供が新幹線の自動ドアで遊び始めたりする。注意し、ついでに仲良くなろうとすると自我の出来た小学生の男の子などは、こちらの口まねをし、冷たい目を向けてまったく無視する。いや、それどころかこの頃は中学生や高校生までそんなふうだ。やはりあれが自分の子供だったら殺してしまうのだろうか。子供慣れのしていない私は彼らに対抗することなどまったく出来ない。そういうわけで、埃は立ち続けドアは鳴り続け、やがて大声の出し合いが始まる。私も一緒に叫ばせてくれるのなら乗っていくが……全員が子供のように遊んで行く車両というのを作ったらどうだ。静かにしていると規則違反とみなされ追い出されてしまう。

——で、その様子をまた、想像した。

……シートによだれを垂らしながら自動ドアで遊ぶのだ。カラオケ車は隣です。そこがマージャン車にもなっていますから。車内宴会も同じシステム、だってそれなら四人掛けのシートにひとり紛れ込んだハイミスを排除するため、したくもない痴漢まがいをする必要もないよ。ふん、そこで男同士触りあっていろ。私は室内でするたたみ滑り遊びを通路に持ち込んだゴザの上でするから。ただひたすら畳の上を滑って往復する遊び。或いは安心して座り込みクレヨンで列車内線路を書く、ヌイグルミウサギとの旅行だって夢じゃないし……。

アレルギーの後でまだ体力はない。掌は時々は痒く発熱するし。今度の帰郷は大掃除はなしだがまた母と喧嘩してしまうかもしれなくて、気が重かった。父がいないと、それもただ仕事のために遅くなっただけでも母の神経は私に向かう。それについて、彼女の夫は一切想像出来ないらしく、いやそのあたりの事情になに食わぬ顔をしているという事自体が母の生き甲斐になってしまっていた。オマエはホントーにダンセーテキな女だ、ヒステリーオンナとはまるで違う、と父は母を褒め、母はその褒め言葉をそのまま幸福そうに私に伝えるのだった。そもそも私はあの土地に帰るだけでも呼吸困難に陥ってしまうと判っていたし。

帰る帰らないでまた彼女と喧嘩をした。

どういうわけだか収入にもならないのに忙しいのだった。忙しいといっても、考えるのに忙しくひとりでいるのに、忙しいのだった。ワープロを打っている時はそれが金になろうがなるまいが目は吊り上がっており、キーを叩いていない時は半病人であるか、怯えた独言散歩者にしかなれなかった。頭の中は文章の世界でばらばらになり、不注意から電話を蹴飛ばし食器を払い落とし、出来上がりそうになると恐怖とプレッシャーで一晩中震えて、昼は絶えず腰が痛むので横にもなる。ナニカシテイル状態ならそこまでひどくはならないのかもしれなかったが、私は花やヌイグルミで恐怖心を押さえ、耐え切れなくなるとライブハウスに行っていた。だがそんなふうにヌイグルミに囲まれて散歩もする私は、自分でもみじめなのか余裕あり気なのか判らないのだった。一日の大半を怯え暮らし、残りを夢想して暮らしていて、そうしていてワープロを打つと、それは少ないが収入になった。いつも金を払うに値するかどうか審査されたけれど。

たまの「仕事」で、大雪の中を終電で帰った数日後に、九度の熱を二本の安ワインで押さえて徹夜で文章を直す。終わったら手の爪が全部紫色になる。作品は大抵、それで生活している人間と同じ基準で測られ批評の対象になった。だが仕事と呼べるものはただ一年に一度あるかないか。大抵は充分睡眠を取り、ボツになるだけの原稿を機嫌良く書く。書いている間は幸福で書き終われば不幸。——それで生活しているのがプロだという基準に縛られれば私のする事は遊びになってしまう。会社での激務を、あるいは芸事と家事と育児とをこなしそのプロになっている人間が世の中にはいる。彼らまたは彼女らのインタビューを読めば、執筆時間は短く生活には大して支障もない。——やれば出来るのかもしれないが今の私には関係ない。今のところ勤める必要はなく、死ぬまでに書いて置きたい事もたくさんある。十年続けて本も出ていないのに盗作恐怖症まであり、文章は一年掛けて直す事もあった。今のままでいないと小説を書けないかどうかは別としても、書く事は確かに私の生活、生命エネルギーを喰っているのだった。が、——。

母は心配なのでどうしても帰らないではいられなかった。何回かは父に頼まれてもいた。今までも必ずそうして来た。

心配だから帰るというその言い種が気に要らない——当然帰って来るという事を前提にして、母は甘え始めていた。気持ちは判るがそこで頭を下げ彼女をよろこばせる程私の性格は良くなかった。

ホントーニカエッテキタイトイイナサイヨ、ココロカラウチニカエリタイノナラカエッテキテモイイワヨ……。

父の留守に急に起こるかもしれない、母親のふさぎの虫が心配であった。以前の帰省の時などひとりで眠るのさえ嫌がっていた。もう寝ろと言っても夜中の三時まででも国際電話が掛かってくるのを待ち続けた。私がいてさえ、そんなふうだ。

母は自宅通勤の仕事を辞めて結婚してから、一晩以上ひとりでいた事のない人間である。例の架空世界の中でひとりぼっちで死んだ近所の老人の話をする時、必ずその足が庭の土で汚れていた、というのだった。その状態は電話の時に陥る架空世界の孤独と、重なっているもののように私には受けとめられてしまう。誰かといれば孤独から逃れられるなどと言いたくはなかった。が、彼女の落ち込みの原因は私の不在だと思えたのだ。あの老人の話を二度と聞きたくなかった。

老人は自分の子供達に精神の拷問のような残酷で無理な受験を強制して、子供の事で虚栄心の権化のような嘘を言い歩いた。子供は同居を申し入れていたが、断ったらしい。私がもしも彼の子供だったら金属バットで殴り殺したかもしれないような嘘。母は私に彼を憐れみ、その子供達を悪く言うように無理強いして、同意しないと自分はひとりで充分だから帰る必要はないと言った。

アンタニメーワクヲカケルカラネー、サゾタイヘンダローネー、カワイソーダシネー。自分が勝手に心配しているだけで、その心配のために勝手に帰るだけだ。と辛うじて私は言い、そしてただ相手の嫌な面だけを思い出していた。

昔、私の職業や受験校を適性を考えずに無理に決めて、それ以外に道がないように教え続け、こちらが思い詰める頃あっさりと進路を変えさせようとした時の母の顔を、けろりとしていて、そのくせ弱々しい表情を。養女に行くのも、コンサートひとつに出掛けるにしても、何もかも思い通りにしないと理性を失って拒否し、嘘を言い、まともな議論には決して応じようとしなかった……三十六年間同人誌の詩人だった祖母そっくりの顔。その祖母、つまり実母との確執から母は血縁の女性全体に対する深い不信心を持って育った。祖母は母を喰い殺しかねないようなやはり幼い人間であった。いやそもそも祖母と同じ文系の大学を選んだ頃から、母は私を実家の養女にすると明言し始めたのだ。それ以前からずっと布石はあったし、昔から口では形式だけといっていたがそうでもなく、私にはかなりのプレッシャーだった。そんな嫌な記憶だけがどんどん出て来た。

私は悪意の固まりになった。普段の母の頼りなくお人良しの部分を、私が逃げ出す程娘に過保護にならざるを得ない幼い純粋なところを、一方、その母を捨ててきた自分をその時は全部忘れていた。その時の母は、私を育ててくれたいわゆる母、ではなく、過去のイメージを、母という言葉を人質に取った、しつこくて気味の悪いいきものに代り果てていた。

肋骨の悪霊はまた暴れ始め、そこに針でも立っているのではないかとさえ思えて来た。苛々するのはその痛みのせいもあった。だが母はただ耳に入る言葉に満足して勝ち誇り笑っていた。原因や結果を推察するようなひねくれた育ち方はしてなかった。

クッダラナイ、シンパイヲ、スルモンダワネー、ナーンニモシテナイヨーナ、ヒマナヒトハネー。

電話を切ってから横になった。暫くしてこちらから掛け直し帰らないと言った。言ってしまってから自分で驚いていた。突き放すという事は湿疹のせいで思い付いたのだろうか。

この手の帰省の時、母の不機嫌に付き合っていてしばしば体調を壊す事があった。父の出張の時期と私の忙しい時期とはなぜか重なるのだ。帰省の直前に書いた文章は大抵直さなくてはならなかった。必死であらゆる用事を済ませて帰ると、外国に連れていってもらえなかった、という架空世界の中で、怒りを募らせて母は待っていた。母は父が一緒に外国旅行に行こうというと不機嫌と甘えの固まりになって嫌だといい、逆に声を掛けるのを忘れると荒れるのである。そして父が邪魔そうにするから、断っただけだなどと後から言う。

つい最近母の還暦の祝いに二十万円、入った原稿料の殆どを送った。といっても絶対に自慢にはならず、まさに親を騙す悪辣な行為だった。そもそも三十過ぎて送金して貰っており、借金と称しても返すあてさえなかった。

父は友達と旅行する事は多いが母とふたりきりの旅は結婚してから三度、新婚旅行も含めての三度だった。しかもそのうちの一度は同窓会関係、怒りの種になっているらしいので近くの温泉でもと言ったのだが、その時は大層機嫌が良かった。弟が賛成し外国にすれば、と言い、私は無能だからパック旅行の値段しか頭になかった。それでも額を増やし弟も同額出すというので、ハワイニイケルネー、と機嫌良く勧めた。父に、本当は母は父と旅行したいのだという事をしつこく説明した。そもそも母の還暦になにかしてやってくれ、セカイイッシューリョコーでもといったのは父なのであった。

が、いざとなると、母は外国は疲れる、と不機嫌になるばかりで以前に私にあたった事など完全に忘れていた。弟に拠出金を催促しようにも研究室に住み込み状態で連絡は取れない。同僚からボロ雑巾、いつ死ぬか、と言われながら働いており、やっと会えたのは外国に留学する前、換え残した円を全部、十一万円出した。

結局母自身は一切の希望を言おうとせず父が友達と行くツアーに同行した。ラッフルズより格上で日本人が来ないというホテル（という触れ込みだが実は日本人だらけだった。別にそれでもいいと思うのだが）から動かず、ファーストクラスで行く（エコノミーはトイレが混みしかも着陸間際にそのトイレの床は湿るという。ビジネスならトイレはファーストクラスと共通だそうだが、なぜかビジネスは良くないと父親は言い、私は飛行機に乗ったことがないので具体的には何も判らないのだった）という旅だったが、父は機嫌良く全員の団長となって友達の奥さんの面倒も完璧にみた。要するに二人きりの旅行ではなかったのだ。だがそれでも、ファーストクラスの飛行機代を倍に言ったりあんたの国民保険払うから土産物も買えないと言ってみたりはしても、本当のところ母親はうまく騙されて喜んでいた。だが考えてみればそれで別に何もかも解決したというわけではなく、母親の悲しみは私と同じに架空世界の洪水の中でたけり狂うのだった。……だがそれがなぜ私にだけ向けられるのであろう。ナニモシテナイからか。そんなはずはない。無能な私こそ、社会に出られない私こそ、母の必要品だ。でも、――。

自分では今まで意識出来なかった事を急に意識していた。私自身、私の存在自体が母のアレルゲンではないのだろうか。

一方電話を受けた母は幼児の照れるような声で私を宥め始めた。一切無視した。相手は切符が無駄になるなどと賢そうに言ったが、私はせっかく治った湿疹が再発しては堪らないという事しか考えなかった。ついに母は先程の言い争いとは関係のない事ばかりを幼児のように必死になって訴え始めた。その幼い弱いところが母の地なのだった。父の前でしっかりしている反動だろうか、甘える対象があれば相手が倒れかけていても加減も判らずに延々と甘えた。叱られればパニックを起こすだけだった。真面目な説明などすればなげやりになり、破滅的になって嘘を言いながらただ傷付く。いろんな事をごっちゃにして哀れな様子で言う。

私にクジラのヌイグルミを作ってやろうと思って布を買ってきた。それを集中して作るためにひとりでいたかっただとか……。

ビックリサセヨートオモッタンダヨー、アタイハチットモワールクナインダヨー、オマエガカッテニオコッチャッタンダヨー、アタイハオトナチーチカチコイノニー……。電話で会話する時、母の顔をまともに思い浮かべている事は少ない、一番良く浮かぶのは以前に見たプードルの母の授乳の光景である。

名古屋駅構内の階段をおり、すぐさま近鉄乗り換え口へと向かうはずであった。が、ガラスに付いた雨粒が真横に流れるのを二時間以上もおとなしく見ていたため、後ろに乗っていた誰か、の事は完全に忘れ果ててしまっていた。同じ車両には別に警官が乗ってくる様子もなく、おむすびを食べてぼんやりとし、時々掌を搔くばかりだった。傷口も湿疹ももうないのだが、右手だけが硬化して発熱し、とても痒くなった。

ホームの階段を下りたところに警官が二メートル間隔で並んでいた。

黄色い太いロープがすでに張られていた。周囲には発車時にホームを走っていたのと同じ感じの、妙に静かな人の群れが待ち受けていた。

階段を下りたところ、いい具合に警官のすぐ後ろで私は立ち止まった。大勢が待ち受けて見る光景を通りすがり、たまたま「見物」する。テレビのなかの幻が目の前を通るのだ。大喪の行列も私の部屋の前を過ぎて行った。良く出くわす、といってもいいのではないかと、妙に意識した。

誰もが静止して待つところにテレビの中で見たお雛様が洋服を来て、空気の秩序から抜け出したように登場した。タレントでも政治家でもない新婚のカップル。ヒャア、と誰か言った。どよめきの中を手を振らずに、長身の夫婦が静かに地下道の中を歩いて来る。警官が並んだ道は舞台のように見え、歩行は空を飛ぶかのような特殊な効果を持った。十二単衣だったお雛様の洋装を私は見た。緑色のスーツ。綺麗な緑だった。

……抹茶の粉のいろから陰気臭さを抜き取り、そこへほんの少し渋いが明るい白灰色をつけ加えてある。ガラスの影のようなごく微かな曇りが明るい薄緑に影を落とす。それは若葉の葉裏のような静かな緑だ。帽子の鍔が前はもっと若い感じだった。今は少し斬新さを押さえてあるのだろうか。スーツのせいか茶色っぽく見える俯き加減の顔にスカートの付属品のようなおとなしい歩行。折り目正しい印象は婚約以前の映像で見たジーンズ姿の時と印象がずれる。だがそれはブラウン管の中の事だから確かなものではない……いや、現場にでくわしても判らないものは判らなかった。

人波が解けたので私は歩き出した。

警官隊がすぐさま、素早くいなくなるというのは妙におかしかった。植物のような魂になったままで、オウチヘカエッテテレビミヨウ、とだけ思っていた。テレビがあの様子をちゃんと映すかどうか。テレビと現実とを交互に見ようと。

連絡口を出たところでまた、人だかりに気付いた。鳥羽行きのホームへはそのまま直進すればいいはずなのだが、そこもまた、警察官の寄り合いと化しているのだった。どうか横切らずに反対方向の階段まで行って、そこから下りてくれと近鉄の少年駅員から丁寧に頼まれて言う通りにした。辿りついて、私は物見高く来た方向に戻り、幻想地帯の出現する予感を確かめてみた。ひときわ人の多いあたりで、車両の数字番号がなくなっていた。それはB、という文字に差し替えられている。赤福の広告が出ているホームの椅子の上に、土足で登っている人間がいても、それは一般人のような顔をした、私服の警官かもしれないのだった。制服の人々はその車両の乗降口で押しくらまんじゅうしており、どこを見ても紺色の人の群れは、鳥のように見えた。

縄が張られるかどうかも確かめずに自分の車両へ急いだ。見ていて乗り遅れたら特急券が無駄になってしまうし。

新幹線と違ってこちらの車内は、空席が目立った。見慣れた近鉄特急のレンガ色のシートに腰を掛けると、空気まで生命を持ち始めていた。ここからは知った人と会うかもしれない、圏内であった。東京の学校に進んだ知り合いの話、を思い出した。帰郷の電車の中で町内の妻子持ちの教師から露骨な誘惑を受けたという。教え子ではないが、小学校の時に何回か近所であっていたのでその旨を告げた。相手は仰天して途中下車した。線路の繋がっているところでねえ、と笑ったのだが。

で、あの人誰、知り合いだったかなあと、私は思った。同じ車両にどこかで見た人がいたから。それがどこなのかは判らないが「知っている」のだった。とても痩せたあまりにも頭の小さい人だ。ちょっと世間では見られないような派手な緑色の洋服を着ていた。その生地がまた非常に変わっており、絨毯のように分厚くて毳立《けばだ》ち、縞模様にも見えるような織りむらがあった。その織りむらは近鉄特急のシートにあるのと同じようだが、もう少し幅が広く、萌黄色を少し濃くしたような影のない緑で、そこだけ空間が歪んで見えた。

その人の着ていたのは肩が大きく張った上着なので、血色のいい、殆ど真っ赤といってもいい顔は一層小さく見えた。マネキンのような細い足を組んで、上着と同じ生地のスカートは膝上丈で、相当短かかった。足もストッキングの色を押し返すように血色良かった。ルイ・ヴィトンの小型ショルダーを押さえるのは金のファッションリングを幾つかさした指。口紅はかなり赤いが化粧は薄く見えた。テレビカメラの機材を持ったスタッフらしい男性数人と一緒にいて、細い長い煙草をふかしている。

黒目がちに眼球の膨らんで潤んだ、近眼らしい目、その目の印象には覚えがなく、ただ輪郭だけをどこかで見た事があった。薄く頼りなくやはり血色のいいふわふわした鼻、それも可愛らしいというその印象に覚えはなくただ輪郭だけが迫っていた。髪型は確かにどこかで見たショートカットで、前髪の形に特徴があった。東海林のり子ではないのだけど。

朝のモーニングショーは、大きな犯罪があるとつい見続けたりする。顔は確かにその時間帯の人、レポーターかアナウンサーかタレントの一行だ。彼女達は、自動ドアの子供程ではないが大変機嫌良く騒いでいた。

――オイデニナラレマシターッ、テコッチガ大声デイッテテモ……結局判ラナインダカラ……ダワヨネー……。

はきはきと非常に嬉しそうに喋り、修学旅行の子供のようなのだが、肉声の芯に現実が感じられなかった。生活とも体とも感覚とも思索とも離れたまま、どこか遠いところから勝手に流れ出して、そのくせ一応善良な暖かそうな声。

混雑の後、列車が動き出してさえ誰も事態には気付かなかった。今度は近鉄が新幹線に繋がっているという発想がなかった。幼児の頃、名古屋は終着の大都会だった。いや、都会というのは四日市の事で、変わった服を着た人を見ると四日市で買ったんだなあと思ったりした。

私はというと、急に沿道の警備が気になり始めた。新幹線に乗っていた時はなんでもなかった事が、近鉄に移るやいなや強く意識された。自分がこの国の無力な小市民で、取り締まりの対象になっているのだと思い出したので。

住んでいるマンションの前を大喪の列が通った時、空には飛行船が飛び敷地内のゴミ箱は新しくなった。蓋のいたんだポリバケツ二個は取り払われ、四角ばった、蓋の外せない大型のもの一個に整理された。路地に警官が並び、私はその警官を窓からつくづくと眺めた。制服が窮屈そうな小太りの彼は、時間を持てあますのか、或いはそれも警備の一形態なのか、時々上を見たり下を見たり、指差したり、或いは通行人が通るとくるりと向きを変えて一本の電柱になったりした。そういう私の部屋はテロリストが、イチニチダケカシテオクレッ、と頼みに来るような位置だったのである。

その時はマンションの屋上にも警官が並ぶものだとばかり思っていた。狭いビルの屋上に何十人もの警官が立ち並んで「ハングマン」のエンディングのようなブレイクダンスを踊り、すべてのビルの上にヘリコプターがいる、……そのくらいの事になるのだろうと錯覚していた。だが住まいも、周囲のビルの屋上も空いたままであった。

但し、その次に紀子さんが通った時、警官がひとりだけ屋上にいた。その日私がたまたま屋上に出ると制服の彼は、道路際の手すり近くにいて空を見ていた。非常階段を上るこちらの足音には気付いていたはずだが、トランシーバーなど持っていてぴくりともせず、その時も風景の一部だった。制服を着ると若い男は人形のように見えた。GIジョーではなくお雛様だった。だが女の人は、というとそうでもなく、まともに声も聞けるし体温も判った。

　今回は、沿線一帯にだから大層な警備になる。伊勢には今までにもその類の列車が来ていたはずなのだが。でも、以前からずっとこうだったのだろうか、といぶかしんだ。

　警官の垣根、は切れる事がない。特急停車駅のホームには無論の事、各駅でも名古屋近辺は等間隔にいた。婦人警官が目立つ、沿線の線路脇にもところどころ、通過踏み切りの前にはふたり並び、次の停車駅の桑名も無論等間隔。

　桑名の手前あたりで、誰かが乗っているらしい、と乗客の何人かがはにかみつつ、囁き始めていた。そのあたりには妙に親密な空気が漂い出し、新幹線では後方を見るだけで終わりだったものがいい時に乗った思わぬトクをしたという話が出た。周辺の住人は大変だろうが、車中なら大した迷惑を受けるわけでもなく、珍しい客と同じ電車というだけであった。だが結局誰が乗っているのかは判らないまま、知っていても私は黙っていた。テレビ局の人達は内々の会話で夢中だった。

　津では二車両分二メートル置きに警官は並び、綱が張ってあった。そこで他の皇族が降りたのかもしれなかった。白子から踏切の警備がひとりになり、沿線にはぽつぽつとオデムカエの人々も出ていたのだった。が、大抵は線路脇の工場や作業場の仕事のついでだった。

テレビ局の人はやたら全員できゃはははは、と笑った。恵比寿のライブハウスで機材をいじっていた、別の局のスタッフの表情、睡眠不足と不機嫌で痩せこけながら浮腫《むく》んでいた、真っ白な顔を私は思い出していた。しかしこちらはカメラマンも異様に元気そうで、沿道の景色をガラス越しに撮るという姿勢でいた。というか、ただいつでも走り出せるように構えていたのだろうか。旅が彼らを元気にしていたのかも。スタッフは黒の上着や古いジーンズを着て、人込みに紛れてしまうような恰好をしていた。

でも、そこへ警官が登場した。

最初は車掌かと錯覚した。切符拝見の勢いですっと入ってきて、景色を見るが如く通路の中程にまで進み、からくり時計の人形めいてまたもとのところへと引っ込んでいった。茶色い顔の大柄な中年の男がつくりもののようで、通路はたちまち舞台になってしまった。テレビの人達は急に静かになり、やがて真面目な声で話合いを始めた。

私は次第に息が詰まってきた。前の席で新聞を読んでいる目付きの鋭い男を観察してみた。どうも怪しい……テレビの女性の一挙一動を観察した。レポーターをレポートするという行為が自分の心身にどういう影響を与えるか、というような事を退屈しのぎで思い付いて、だがその時既に彼女は眠っていた。別にもともと、特に変わった事をしていたわけでもなかったのだが。

……とぼけた様子で、ひ弱く哀れな顔付きで彼女はいきなり睡眠に入っていた。口を少し開けて、上半身をごく微かに揺らせながら足は組んだままだ。寝入った時と同じ調子で、びっくりするでもなくふと目覚めた。寝顔を見ていた私と顔が合うと、唇を突き出し、金魚のように眼球を傾けて妙に幼い視線だけ吸い付かせた。寝惚けているのではなく、一種の反射に思えた。

彼女の、弛緩した顔の筋肉は自然に愛想のいい顔を作っているのだった。芸能レポーターもまた芸能人であるということにその時気付いた。

アイスクリームを売りにきたので観察を止めた。チョコレートアイスがない事に気付き、別に大して残念でもないのだが、ワゴンが行ってしまってからひとりでくやしがってみた。そういう演技をしていると警官と同じ舞台に上がっているようで少しは気が紛れた。

食べ終わったアイスクリームの容器を、新幹線から持ち越して来たウーロン茶の空き缶と一緒に捨てようとすると、進行方向のクズモノ入れは鉄の板が嚙ませてあり蓋そのものが開かず、後方、つまり専用車両に近い方は無事に開くが、何も入ってなかった。うろうろしていると同じ車両の目付きの鋭い男が手を洗いに来て、ますます怪しかった。

小さい踏み切りの前から警官の姿が消え、伊勢に近付いて行った。

八王子を出た時は雨の降り始めで、宇治山田駅を出ると上がりかけていた。駅前ではただ、警官がぞろぞろと帰っていくところだけを見物した。売店のあたりに青いビニールが張ってあったが、十八日のテロの爆弾の跡なのかどうか、現場にいたところではっきりとせず、確かめようとするとホームから降りてきた警官達にぶつかっていた。こちらはもう一度あの緑色を見ようと待ち受けたのだが。——でも警官も装甲車に乗ってどこかに行ってしまった。

家の前にもひとり、ビニールのコートを羽織って警官がいた。家は遊び人で兼業神主だった父方の祖父が鎮め払ってくれた土地の上に建てられていた。そのせいかその姿は一瞬、守る霊、というか天狗に見えた。でもすぐに気付き、アッ、ココニモイルッ、と驚く演技をしてから家に入って、もう一度確かめに出たらもう姿は無かった。路地裏のミニパトは減る様子もなく、警備の混乱と混雑はひどく、父は一電車遅らせて出発した。伯母達はテロの後だというので心配したらしい。

だがその彼女達も珍しい客を待ち受けて駅に出向いていた。伯母達は、行列に背を向けている警官がいて、気の毒だったと言った。体の向きを変えて見るように勧めたのだが、ずっとそうしていなくてはならないのだった。

アンタサンラハ何処カラキナサッタノ、と伯母のひとりが、訊いてあげると、ハイワタシハ新潟カラキテオリマス、と警官は答えたのだ。伯母は仰天し、同情した。

——アノマア、カワイソーニ、ワザワザ新潟カラキテ、後ロ向キヤナンテ、カワイソーヤコト……。

若い警官はイイエ、と言ったらしい。

土産物を届けに行った先で紀子さんを見ましたと報告してみた。が、反応が真面目な上まったく無表情で、暫くしてからアーオソレオーイコトデ、とのろのろと言った。そこで醬油を買いに回った先では私はその事を黙っていた。その店では近所のおじさんが郷里の福岡についに帰ったという話が出た。途端に、三年以上前、そのおじさんから聞いた大切な話、というのをいきなり思い出した。小説に書いて欲しいと言われていた。大陸に抑留され寒くひもじかった時、仲間が作業場でジャガイモを見つけた、という体験談だった。が、書けと言われても私には無理だ。

凍土の上にそれはいくらでも落ちており捕虜にさえ拾えた、というような話。でも持ってかえって焚き火の中で焼くと馬糞に変わってしまった。いや、最初から馬糞なのだが、凍った馬糞というのはジャガイモにそっくりなのだろうか、それとも丸いものはみんなイモに見える程の状況だったのか。喋りながら、殆ど魂が飛んでしまったように彼はふふ、ふふふと笑っていた。目はとろんとして、どーっさりと、あった、と繰り返しながらどうも思い出になっていない様子だった。何十年も前の話をして、彼はそれを拾う時の仕種をした。だが歳月を経てもその手付きは完全に尊い食物を扱う態度であり、語る時の相手の、夢のような目付きの方に私は関心を持った。照れるような微笑の中に封じられたもの、当人だけの厳しい記憶を塗り固めた壁の前で私は立ち止まった。手記にする時、どれだけ書き直しても現在形でしか書けず、時間の流れがばらばらになってしまうような厄介な記憶。それ故に自分では書けないのか。だが私に想像出来たのは火と氷だけだ。

帰って家の神様に八王子の地酒のワンカップを備えた。五代前からというごく新しい神で、普段も一切構わない神棚であった。私の家から不幸な死に方をする人間がいたら、あるいは死後の魂が不幸ならば、たちまち壊してしまう。そんな神のためのお供えであった。


家の中の空気は湿っていた。母は私が土産に買ってきた饅頭の数がおかしいと言う。それは竹の皮に入った小梅程の大きさの白い菓子で、麹の匂いがきつく、母の父の好物だったものだ。昔は十八個だったのにどう数えても十五個しかないところが変だ、こういうものを竹の皮に包む場合十八個が妥当だ、などと妙にしんみりと主張するのだった。

――途中で取りましたね、抜き取って内緒で食べたでしょう、三個足りない。

口調まで違った。怒るでもなく、冗談でもなく、ヌイグルミのような顔になって一心に言った。母の首は短いが付け根の方が細く皮膚が薄い。父がいないと一層頼りなく見えた。竹の皮の包みは母の小さい手の上に載る程だ。食物でも人形でも母は、小さいものを好む。

いつもならば手伝うはずの家事を私はまったくせず、洗い物も掃除もガラス拭きも無しに、ひたすら手を冷やし薬を塗り、掻き続けた。一度だけ父のふんどしの紐にアイロンを掛けた。そこまでしなくてもいいんだよと止められたが紐を延ばすのは面白いのだった。

そんな中で一番大切な用は母のするテレビゲームを観戦する事で、延々と続いた。見ていて時々応援してあげないと拗ね、突き放すとげっそりと疲れ果てた顔付きになった。誰かが見ていてくれないと出来ないのだった。黙っていれば夜中の三時まででも続けるので、母を怒らせて止めさせ、私は自分のワープロを打った。

父が留守だというので母にはあちこちから電話が掛かってきた。それは主に母を心配する父方の縁者からで、私はいない事になっているのだった。それ故に相手は、気遣って何度も掛けてくれる、父方の伯母のひとりに向かって、あの子は忙しくて、ええ私は大丈夫、などと母は機嫌良く喋り続けた。その後は世界情勢について語り、新車情報について語り、語り尽くすと受話器を置き鼻にかかった声で私に向かい、オカアサン運転免許ないの、とわざわざ言う。感心して聞いていた伯母の方は免許があるのだった。

その伯母は帰省の度にバッグを呉れたりした。出来る限りお返しはするが、とても追い付かない程極端だし小遣いも呉れた。却って敷居が高く訪問するのも悪くなってしまった。あんたもおばちゃんもかわいそうだから、と母が提案し、最近では帰省しても隠れているのである。

翌朝は晴天なのに私の目の下にはいきなり紫色のものもらいが出来る。小豆大に腫れたそれは眼球を隠して盛り上がってしまう。

母は手製の眼帯を作って掛けてくれたが、テレビゲームは絶対に見て欲しいらしい。

私が眼帯のままの目であてずっぽうを言うと、必死になって解説し、ソレオオキナ点ガデタ、とこちらをあやすようにして注意を引いたりする。

何度でも母親を怒らせてテレビゲームを止めさせ、ニュースを見た。昨夕確かめた紀子さんのスーツの緑色は、普通の灰色の中にほんの少し緑が入っているようにしか映ってなかった。それは実物とは違った地味な色で、しかも地下で見た時と胸元の飾りが違っていた。テレビでは帽子と共のリボンがあしらわれていた。だけど地下道のところでは光りの加減なのか、小さいカスミ草のような飾りが付いていたと思った。だがそれはすぐに錯覚と判明した。リボンの水玉模様が私の近眼の目に、光線の加減で浮いて見えたらしい。白い小さい花に見えたのだろう。目の前で確認したのに、正しく見てなかった。

他にテレビを見て判った事、レポーターの名前は、武藤まき子という。昼のワイドショーでテロップが出た。画面の中では、別人のようだった。神宮の鳥居の前に立って、暖めた息を籠もらせて吐き出すように、言葉を一言一言、切って話していた。落ち着いた表情、ブラウン管の中の顔は曰く浮腫んでいて思い詰めているかのようだ。画面に出ているのは上体ばかりで、スカート丈は映らない。前日見た、変わった織り方の生地がそのまま映っていたが、図鑑のアマガエルさえも負けそうな緑が、ほんの少し苔の色を浮かせたネズミ色に変わり果てて、アクセサリーもブラウン管越しでは目に留まり難い。なぜか厚みのある大柄な体格に見えた。血色が映えず、鼻だけが拡がり、目も潤んでなかった。一、、、般人に見えた。

神宮親謁の儀をテレビで繰り返し見て、記憶を補った。

ブラウン管の中を天皇と皇后が馬車で進む度に、私はイギリスのテレビのよたっぱちを思い出していた。この馬車は日本に特有のもので、平安時代からこういうデザインでございましたなどと言い兼ねなかった。だが実は気にしているのはその事ではなかった。紀子さんと久子さんの足元がどう見ても西洋の靴にしか思えないのだった。確か平安時代にも靴はあったはずだが、小さいリボンかなにかが微かに覗いたそれは衣裳の陰に隠れたままおわってしまった。家のテレビは二十九インチのもので画像は良く、それでも十二単衣の生地の感じは伝わって来ない。赤い布の靴も私の持っているレンガ色運動靴のように映るだけだ。裁縫も出来ないのに呆けた心で、生地ばかり見ていた。

その日も警備で伊勢中は混乱した。クリーニング屋が遅れ、父の秘書は銀行に行こうとして混雑に巻きこまれた。酒屋は配達が出来なかった。ウナギどんぶりだけがきちんと正午に来た。ポリ袋を塡めて台所に立とうとすると母が止めた。

深夜父親から電話が掛かって来ず、母が眠ろうとしないので困り果てた。こちらから掛けてみると知らないところに繫がり、相手はただ、ネウ、と言って切ってしまった。国番号を確かめるために母はKDDに電話をした。するとKDDは勝手に国際電話を掛ける手続きについて話始め、遮る事が出来ぬ母は途方に暮れたまま相槌を打ち続けた。

電話を待つ間、絵の好きな母は父の似顔絵を書き始めた。それは彫りの深い気難しげな顔つきの痩せた男で、最初誰なのか私は気が付かなかった。が、実は「合成」なのだ。二十代の頃の父親の写真、げっそりと痩せて絣の着物を着、長い顎と細い首筋を大きな草刈り鋏で挟んで笑っているもの、それに四十代半ば、角刈り頭で純白の光るパンタロンを穿き、片肘を引いて数十キロはある優勝旗を支えているもの、或いは斜に構えたやはり笑い顔の写真、それらから良い所を集めて作った、幻の顔だ。私が今のままの父の顔を描くと、母はぼんやりと、焼却炉の火はどうだったかいな、と疲れた声で聞いた。

一昨日ゴミを燃やしたのだけれどその日のうちに灰も出し終えていた。

そうしているうちにやっと連絡が入った。電話番号を確かめると母が控えた番号は違っている。むこうが言い間違えたのかもしれないと思う。すぐに切れたので確認し掛け直すと繋がりはしたが、こちらの決まり文句にフロントは早口であれこれ言い、取り次ぐまいとしている様子だった。フロントの抵抗を押した私が変な英語で勝手な都合だけを喋ってみると、ゴーアヘッド、で漸く父親が出た。ヘビヲクワサレタッ、とまず叫んだ。

父は蛇が嫌いで、姿を見た一帯を避ける程であった。嗅いだ事も触った事もない蛇をいきなり喰わされたっ、という。五種類の蛇が入った特製のスープ……モウイチドクッテミル、と強がりでもなく。

その後はなかなか寝ない母とまた喧嘩になった。

働きながら老父を看取って独身を通した女性に漸く余裕が出来、しばしば国内旅行に出掛けていくのだという。それが母には気に入らないのだった。無論ひとり旅を羨むような母ではない。独身は自由で羨ましい、と一応それなりの愛想を言ってみたところ、相手がエエ、ホントー、主婦ハタイヘンネー、と答えたのだそうだ。一方、母の知り合いにもうひとり独身の女性がいて、そちらは係累を抱え縁談を見送り、未だに難儀な人生のただ中に居る。そこでたまたまあったその相手に、あなたは楽していい身分だって言われてるよ、と教えて上げたのだそうだ。無論前出の女性が言ったと付け加えて。私は呆れ、母を責めた。するとアノヒトはもっとひどい言葉で、私を侮辱したなどと言い始めた。

還暦旅行の計画の安全性と気楽さを母は機嫌良く説明したらしい。ところが相手は、発見のない旅だ、それでは変身出来ない、と自分なりの旅行論を展開したのだった。難儀のただ中にいる方の女性はイイヒトだったから、などともうひとつ判らない論理で、しかし本人は批判を受けたと思って傷つき気に病んでいたのだった。

——なんでそんなになんでも一番になりたがるの、あの人は自分の意見を言うただけやないの……。

反論をすると、トイレに行きたいっ、と叫んで母は消えたが、やがて戻ってきて悲しそうに脅した。

——コンナ時バッカリ伊勢ニ帰ッテ来テ過激派ト間違エラレタラドウスルノヤアンタ……。

警官と皇室が東の方向に去った。町は静かになった。

　その日も時期外れの台風にレインコートを羽織って、雨戸を閉めたのは私ではなくて母だ。私は発熱する手をアイスノンに載せて黙っていた。

　雨の中をついに父が帰って来た。アレルギーの事などその時点では知らない。雨戸シメタノカ、と私にむかって言い、母に閉めさせてしまったと正直に告げると、たちまち不機嫌になった。が、すぐ上機嫌に戻った。少年のような顔付きを父はしていた。テレビの人のような血色をし、外国語で喋り、慌てて言い直す。母と私にカルティエの小物入れを買ってきていた。私はブランドについてもまるで知らず、新柄だ、と言われて母が以前によそから貰ったのを出してきて比べた。以前はつるつるしていた皮の表面が、複雑なひびわれのあるものに変わったのだという。そのひびはかぶれ始めの頃の湿疹のようだ。暖かいえんじ色で微妙にカーブした円形の財布は、うまく掌に載った。

　そんな、帰ってきたばかりの、旅の外面のままの父に、鬱陶しい世間の些細な用事をいきなり告げてしまった。父親に対する想像力もあるつもりである。破滅衝動のなせるわざと言っても良かった。

　母のためひとり住いの人の緊急用電話を、家に備えてくれと頼んでみたのだった。彼女は別にまだ老人という歳ではないが、私の勝手な心配は募るばかりで、先々は留守番に帰れなくなる気配も濃厚であった。だが父ははしゃいだままの態度で一蹴してしまった。一瞬むっとし、図鑑のティラノザウルスのような恐ろしい表情となり、すぐさま、煩《うるさ》そうにバカナコトヲイウナ、で片付けて上機嫌に戻った。昔ならそこからどんどんこじれただろうが、父は丸くなり距離が出来ていた。そこで重ねて自分の心配を訴えてみた。が、トシヨリアツカイというフレーズが出て、商品のパンフレットまで憎らしくなった。ボタンひとつで救急連絡が出来るその機械の側には、頭も体もふわふわした老女の絵が、いかにも年寄りはこうしてろというようなパターン化された恰好をして、おっとりと、というよりだらしなく笑っていた。この商品の必要な者は受身でいろと言っているような感じさえした。心臓の悪い一人者や一軒家を守っている神経質な女性が、自分のために注文する場合もあるだろうに、その絵からは孫子に買って貰うという図式しか出てこず、老女の主体性を私は感じ取れなかった。いや、一枚の絵にそこまで文句を言う程、私はがっかりしていた。

父が帰ると急にそこら中の空気が薄くなって、私が心配するような母はいなくなっていた。母は元気になり、父に付き合って延々と起きており、死んだ時足に泥が付いていた老人の話を、恐ろしい声で喋り続ける人間ではなくなっている。

次の朝、門を開けに出て虹を見つけ、自然現象の好きな母を叩き起こした。半分雲に隠れた一片の虹から、大きな真っ白な雲がやがて別れて行き、それが完全な半円形を現すまで、ふたりで見ていた。快晴に近眼が直ったのかと思うほど山がくっきりしていた。

父も通常の父に戻っていた。朝からくしゃみを続けてしたというので叱られてしまう。私は一応反対側を向いていてしたのだが無意識にあてつけたようで癇に触ったらしい。

朝の新幹線で帰るためバスに乗る仕度をすると、車で送ってやると父親が慌てた。母と私がバスやタクシーを使うと嫌がらせをしていると怒る事があった。母は免許を取る事を禁止されていた。プールに行く事も禁止だった。

……新幹線の車内では富士山と昼の満月を見た。浜松を過ぎて全体を現した富士は裾野がたらたらと延びたもどかしい山だ。だが天候のせいで山の色は図鑑で見る白頭鷲の頭のような雪の白と、キジバトの頭のような少し茶の混じった灰白に冴え、山襞は透明な線描になって浮かんでいた。山というよりはプラモデルにみえた。木々が西日で暖色に染まっているのも、却って冷たげな程のきれいな大気だった。

伊勢生まれの私には何度通っても富士は珍しく、それなのにどこか一点でしらけている。それは日本の象徴ではなく東方の異景だった。幕の内弁当とワンセットの富士。やがて暗くなり山裾が隠れた。地面から浮いた富士は完璧に左右対称のきちんと纏まった嘘の全貌を想像させてくれた。輪郭の正しい、大理石のようなきめの、純白の満月が富士の空に浮き、架空の富士が昼の月に呼応してそこに出現した。でもそれは会社のマークの富士、銭湯の富士だ……。

月が輝き出す頃に吉祥寺に入る。湿疹はまた痒くなりふくらはぎも痛くなる。

帰って十日後、私のいるマンションは学生専用になる事が決まり、契約切れの勤め人たちは出来れば出ていって欲しいと懇願を受けた。もう出ていくのだから、と私はベランダを縄張りにしている一羽のヒヨドリの、ひもじそうな寒い朝に柿を与えた。たまたま収入があったので引っ越しは出来た。だが同じ位安全なところに変わろうとすると奇跡でも起こらなければどうしようもなかった。来月から出来るだけ自活します、と母の不機嫌を邪推して、というより妙な気負いで思わず言ってしまったため、余計に心細く、そのくせ相場をしらないで機嫌良く国立に部屋探しに出掛けた。交番の向かいのアパートはありませんか、などと目茶苦茶を言い歩いて不動産屋に呆れられていると、土地暴騰が骨身に染みて判ったのだった。

なかなか行き先は決まらずオートロックを諦めると、急に母から二十五万送ってきた。学生の後があるのか安いマンションも出て来た。礼二敷二を飛ばして読む必要がなくなったが、還暦は百パーセントの偽善になってしまった。いや、今度は父親の還暦がある。父は早生まれでその日はどんどん近付いていた。父とは連絡がなかなか取れなかった。

お祝いは四月か五月になるからそう伝えておいてくれと、母に言った。バレンタインデーに送ったネクタイが赤だったために父から震え声で電話が掛かってきた。ネクタイ一本で済まされると思い込んだらしく、必死になって喜んでいる演技をするが、声が固く苦しみに満ちどんどんうわずっていった。

——これでよろしいですわ、最近、オトコの還暦は七十歳まで延長されましてな……気にする事ないぞ。

還暦七十歳説だけが本気で明るかったが、母に代わってというのも聞かず切ってしまった。掛け直して母を呼び出し問い糺すと、お祝いが遅れるなんてひどい事言いませんでした、言う必要ないでしょ、と切ろうとした。父に代われというと食事中だからと断ってきた。怒鳴ろうとして、こらえ、なんとか無理に代わらせると電話口で父の声が次第に穏やかになった。同じ額で国内旅行だけどね、と説明をすると、別にいいんだよ、と非常にはにかんで答えたのだ。無論金額など本当はまったくどうでも良かったのだろうが。

電話を切ってから状況を延々と邪推し続けた。最初にネクタイの柄を母に教えた時、それは正月の売れ残りに決まっている、と私に言った、父も見た瞬間そう思ったのではないか。一見無地だが地紋に後ろ向きの羊がいて、上等のものだし生地も良かった。未歳の父に丁度いいと思い定価で買ったのだが、面白いものというのはどうもいけないらしい。外国のブランドの方が良かったのか。還暦の祝いも、木造のアパートに住んでおいて、母から送ってきた引っ越し資金を全部封筒に入れて上げれば良かったのか。でもそれでは何か変だ。というか困る。

子供の頃服を汚してクリーニング代が掛かると叱られた事があった。偉そうに小遣いから出すと言い返すと、お前の小遣いは仮にお前に預けてあるだけで、そんなものは家の中の金が移動するだけだと、母から言われて沈黙した。その時の移動、という言葉が浮かんでいた。

文芸誌を部分的に読む読者でさえ三百人しかいないのではないか、とその日の東京新聞文芸欄に書いてあった。刷り部数が数千で評論家と編集者と作家のごく一部だけが読むのだとも。タレントの小説とプロの作家の質は殆ど変わらないとも。その証拠として、辻仁成と尾崎豊、鈴木保奈美と鷺沢萠を比べていた。筆者はコミック雑誌の編集を経て、今は評論家にもなっているという、文芸書の比較的熱心な読者だと自称している人だ。本当は一万数千部出して、五、六割売れるらしいと聞いたのだが。

隣の部屋の若い英語の先生は長野の出だった。週日は十二時間学校にいた。真っ直ぐな長い髪の毛をして、休日は日没までテニスに熱中し、それから深夜まで採点をした。学校の廊下は走ってます、お金の話は嫌ですね、といい、毎月ではないが文芸誌を読む。伊勢の鰻屋の主人は十年以上も前から埴谷雄高を読むために雑誌をとっている。そこの鰻は皮に鮎か植物のような感じがあり、充分焼き縮みさせてあって薄味で食べる。読者は捜さずともふたりいたが、文芸誌を私は普段は読まない。気に入った作者と読めるところだけをごくたまに読む。

ヒヨドリは強風に羽を逆立てながら柿を啄み、未成熟の透明な種を飲み込み兼ね、喉を反らした挙句に銜えて飛び去る。或いは糸状にうまく果肉を引きずり出し、引きずり出す時に力を込めるのか時々痙攣のような羽ばたきをする。一心に喰らう。排泄しながら喰う。喰らいながら鳴くのはうますぎて恐ろしいからか間が嫌だからか、いや、いかにもヒヨドリらしい演技をしていたのかもしれなかった。

柿が減るのを見るとヒヨドリに触っているような感じがした。多分一生触る事はないだろうが。寒い朝ベランダのコンクリートの上で湯気をたてている柿の切れ端を見た。千切った一片はこんなに暖かいか、それとも喰ってすぐ出したものか。鳥は嘴の端から果汁を飛ばし、その果汁は窓ガラスに点々と付いた。最初は三日に一個の割合で食べたが、すぐに、二日で一個になった。自分のを買うついでに無農薬のところで、人間が食べられない程腐った柿を貰ってきて与えていた。一羽の鳥は一個の実を守るために警戒音を発する。柿の皮を銜えて風に飛ばす。鳥は三日でベランダの内に入ってくるようになった。

柿を出し始めて十日目の事、ツグミがその縄張りに入り込んできて空中戦になった。柿の側に止まって動かないたかだか自分の体長の三分の二程のツグミに、普段の定位置から一メートルは離れ、ヒヨドリは悲痛な声でギャアギャアと警告し、すぐには行動に出なかったのだった。全身を振り絞って何分も鳴き、諦めずにまたそれを繰り返した。うるさくなって窓をいきなり開けて威すと、ツグミだけがまず逃げ、ヒヨドリは首を傾げて暫く留まっていた。窓を閉めるとまた戻ってきて警告をした。昼頃二羽共にいなくなって、午後からは中空からお互いの声が聞こえていた。結局ヒヨドリが勝った。とんぼの交尾のように殆どくっつきあって半日追い掛け合ったはてにだった。その後もツグミは時々ヒヨドリのいない時に来て柿を喰ったし、時にはヒヨドリのいる時に現れすぐに追われた。

さらに数日の後、群れをなしたヒヨドリ数十羽がベランダに入り込み、中の数羽がもともといたヒヨドリを嘴でつつき落とそうとした。争い合うだけで誰も柿のところまで行けないのだった。もとのヒヨドリは何度でも登ってきて威されて降りた。ヒッチコックのようだし他の住人への迷惑もあった。私は鳥と交際する事を断念し柿を引き上げてしまった。

その二日後の夕方、もとのヒヨドリだけ戻ってきて急にアオジのような鳴き方をした。柿を出そうにも私の目はモノモライで固まっており、痛みで起きられなかった。気が付くと急に可愛くなっていたのだった。他のヒヨドリが死んだりしても通り一遍にも感じないはずで、自分のヒヨドリだけが可愛く他のはどうでも良かった。

だが鳥の特徴は体格と羽の乱れくらいで、半月会わなければまったく判らなくなってしまう。

引っ越し先にヒヨドリを連れて行きたくなった。籠に入れるのは我慢ならなかった。手を叩きヒヨドリを威かして去らせた。まったく来なくなってからベランダの汚れをスコップで落とし、柿を突き刺すための割り箸を外した。

あとがき

永遠の新人、その苦き「栄光」の記録

見てのとおり、三冠小説集と命名した。それで判るように今回、芥川賞、三島賞の受賞作に加え、野間文芸新人賞を受けた本の表題作を合わせて、一冊の文庫に纏《まと》めたものである。題名を見ただけで「けっ、俗物が」と勝手に思う人はいるかもしれない。が、「このようにいたしました」理由は単純、今文庫で出すとしたらこうするしかなかったから。受賞作はどれも、九十年代前半に限定したとしても、私の代表作ではないものばかりである。が、評価された。そして、今でもたまーに「三冠王」とからかわれてぎょっとする事が私にはある。

デビューから十年本が出なくて新人として常にためされ「これは文学ですか」とずっと問われ、プチ物議をかもしてきた結果として、私は新人に与えるべきプロの文学賞の主要なものを三つ全部獲得している。一時などそれで話題になってしまっていた。この記録は未だに破られていない。今も永遠に新人かもしれないと思う事がある。純文学の頂点にいる人の中には未だに私を文壇の異物よばわりして、いい気になってるんだろみたいな厭みを活字で言う人もいるし、その対極にあるような高橋源一郎氏からさえ四半世紀経っても「よそものでばかもの（褒めているのです彼は）」と異端視されている。芥川賞から十二年もたつというのに。

　これら、過去の受賞作に関し、私は「もう昔の本だしね、全部図書館にあるでしょ」と思っていた。

　きっかけのひとつは、大学生用のゼミのテキストである。まとめて版元に注文しようとしたらないと言うのだ。一冊ずつ古本屋を漁りましたと言われて謝るのみであった。つまり比較的分かりやすい旧作でも「そのまんま読める」ものにはまだなっていない。他には最近急に増えたごく若い読者が、過去の受賞作から当たってみようかなと、興味を持ってくれる事があったりした。新しい読者が、うんと若いのが、発生している事をネットで知ったのだ。彼らは高校生だったり、フリーター、ニートだったりする。

　ニート、ネオコン、プチナショ、収録作品を書いた頃には名前の無かった様々な現象は今では若い人の議論の対象になっている。でも閉塞していた八十年代など、最悪の場合は、「天皇なんてないですよ、他者を書いてくださいよ、そこに葛藤が現れる」などとある編集者から言われたりしていたのだ。ところが私がデビューした年に生まれた読者などというのが現在はいて、彼らは自明の理として、天皇込みの、国家論をやっている。そんな若い人は恐ろしい事に、最難解作であるはずの近作『水晶内制度』から入った、これで好きになった、などとサイトに書いている。また、ある時高専に行っている男の子達と電話で話すと、彼らは純文学論争の経過をよく知っているばかりか、某西哲に私が「私小説作家だと言われたのをどう思いますか」などと、私も知らなかった事を聞いてくるのだ。さらには「僕は藤枝静男に感情移入しますが、まず描写から入ります。私小説の私とは別にキャラクターなどというものではないと思いますね」などと平気で言っている・怖い。当然拙作は普通に読んでいる。まあ、そういう若い子なんて「砂金の一粒」もいいとこなのだが、でも、この少ない新しい読者の中に旧作を求めてくれる人もいる、しかし、ない。一旦出した文庫を復活させるのは至難の技だ。

熱心な単行本読者がさっと買ってくれて、残りは図書館へ。年金生活やニート、諸事情あって低所得の読み巧者は図書館からぱくった図書カードで絶賛してくれ、「就職したら買います」という手紙をくれる。まあいいや、という感じだった。一応、芥川賞受賞作を収録した文庫だけはまだ品切れにはなってなくて、倉庫に少しだけ残っているが、この少しだけ残ったものがどういうわけかアマゾンに出る事がない。本来なら四百四十円で新品を手に入れられるはずなのに、ひどい時には古本に十倍以上の値段がついていた。この出版を知らせる前は三四倍だと平気で売れていた。

部数が少ないので私の本は高い。「高いのは理由があるからだ、ふん、高級品なのだ、値段以上の価値はある」、などと普段は開き直っていた。でも、これは応えた。読者に申し訳ない。

三島賞、野間新人賞の文庫本に関してもこのような事態になる事が時にあった。なんとかしたかった。企画が決まったとき、早く知らせないといけないと私は焦り、「三冠小説出版予定」とエッセイにたちまち書いた。身も蓋もなく、内容を一言で表せる題名にした。すると若い読者はまた、普通に三冊とも増刷して欲しいなどとネットに書いている。でもそれが出来ないからこうしているんだってば！

九十歳から十七歳まで、私の少ない読者の誰もが、一様に私よりはるかに頭が良く文脈が読める、そんな人間はこの世にほんの少ししかいないけれど、それでも一定の確率で次々と生まれ育ってきていて、絶える事はない。長く、少しずつ、なかなか絶版にしないここの版元から出す事にした。初版のままでも、この後二十年は、これでこの三作を供給出来ると思う。だってここから十三年前に出した『硝子生命論』などは無冠、単行本のままでもまだ手に入るのだ。鍾乳洞のしずくのようにぽたぽたと落ちていけばいいと思う。

再文庫化のためにゲラを見ていても、世間によくある決まり文句のように、「昔の事が蘇る」という感じにはならなかった。目の前にあるのはあちこち欠点の浮いてみえる「今、自分が手入れして読者に届けなければいけない、現在の作品」だけであった。

単行本化の時も最初の文庫化の時も、いつもぞっとしながら必死で手を入れたはずなのにまだまだ、気にいらないところが続出する。というか、十二年経って、当時まだ判っていなかった事が今は判るから、今までよりもなお一層ぞっとするのである。例えば昔は意識の流れ等連想するままに書くのが精一杯だった。が、今の私は当時の、何も判らぬままにただ捨て身で書いていた自分が気に入らない。

例えば、「タイムスリップ・コンビナート」に出てくるマグロ、当時はわけの判らない恋愛めいた感じ、という意識だったのだが、今はこれを近代が覆い隠してしまった宗教的感情のひとつのあらわれと考えている。当時の私は、マグロと主人公の恋について、「源氏物語の姫君が景色に恋しているような恋愛をする」と捉えていた。しかし今となっては解釈が違う。「宗教感情を伴う自我が、自らの感情を対象化し、神をつくりだす、姫君はそのような経済的、宗教的背景の元で景色に恋したのだ」という事になる。要するに源氏物語の作者は唯物史観など知らなくても使わなくても、心と言葉を使って、それも仏教的無常観を以てマルクス主義が関知できぬ部分を書いていたと思うのである。飛躍の面白さ、感情の流れを損なう事になっても、今世に言う「萌え」というものとは一線を引くしかないと判った上で徹底手入れをした。持ってる人が読み比べてくれればそれが判ると思う。新しい読者にはこっちを勧めておく。

ここ数年、近代以前の日本の宗教を知ることによって私の世界観は激変している、というより根拠のある安定したものになっていると思う。その経過は『金毘羅』という作品の中にそのまま使った。そんな変化は今回の作品の直しにも反映している。マグロは神仏習合の世界の人間臭い神様、権現というような感じにもなるし、また時には、死んでしまった一神教の神を表しもする。他に、天皇について考え、感じた「なにもしてない」は主人公の神道に対する立ち位置をはっきりさせるため、手入れを相当にせざるを得なかった。まさに明治政府以後見えなくなっているもののただ中に立って書いた作品である。但し、長年の論争のきっかけとなった一文については元の文庫のままにして変えなかった。この一文、今の悪態婆ぶりから見るとあまりのかわいさとおとなしさに自分でも感動してしまう。詳しくは『徹底抗戦！文士の森』を！

三作品中で直しが一番軽かったのは「二百回忌」だが、これは神仏習合的な世界、仏教の世界が前に出ているのだから無理もない事だ。どの作品についても冷や汗が出る。死ぬまで私は文章を直し続ける。親にして貰った仕送りは毎年返している。またその他では、——。

今、私が一番悲しく自分が嫌になるのは、猫の生態について無知だったこと。

当時飼っていたのは雌であるが、私は不妊手術済の猫を拾ったのだ。しかし芥川賞を受けた後引っ越した土地が猫密集地帯で、猫虐殺ヲタクの天国だったため、都会の猫の現状に気付く事になった。越した先の猫事情は物凄くて、たまたまカラスに食われそうな死にそうな子猫を一匹見たばかりにその子猫の親兄弟や叔母まで世話する事になり……周辺にビラをまいたりして地域猫をやろうとし、マンションのごみ置場にいたファミリー四匹に手術をし子猫等を里子に出し、猫を減らした。が、それでもまだ「殺す」という人がいるので残ったメンバーと元猫を連れてローン持ちになり、千葉の一軒家に引っ越すはめになった。

今の私の猫に対する認識をなんだか唐突だがここで述べておく。飼い猫の雄が外出自由で飼われているようなら町内会で文句言ってでも手術させるべきだと思う。また雌猫は子猫の貰い手がないのなら原則手術した方がいいと思う。ただ、野良の雄に関してはいい生存能力がどうなるのか、また私自身の少ない経験で医者の意見をそのまま信じていいのかどうかよく判らないのでケースバイケースだと思ったまま、結論は出せない。手術を万能だとは思っていない。手術するとまれに死ぬ場合もあるし、その猫の健康状態もよく見た方がいい。またごくごく一部の団体で（今の日本の技術では無理な）子猫の手術をして危険に晒している事には反対である。だがそれでも基本的には、手術の他には今のところ方法がないと思う。運動家は密集地帯の地獄を見ている。何ヵ月かだけど私もプチ地獄を見た。酔っぱらって猫を殺す話をしてくる人もいたし。虐待するような人は「増えるから殺す」というように理由を付けてくる。そして猫に哀れをかける人間や世間に対して、千にひとつの間違いもない完全正義というものを要求してくる。が、良い選択をするとは、迷いを、妥協を、疑念を引き受ける事だ。一方虐ヲタは偽善を排すると言う概念をレトリック化して、全ての善を全滅させてくる。自分だけは除外しておいて客観的に物を言いながら言い口を変えてくる。

猫に限らず今の日本に必要なのは慈悲と合議と現実認識である。子供の家出ごっこのような虚ろな自己責任ではなく、体温の通った、社会性のある自己意識である。猫の問題でもなんでも世相の変なところは全部同じだと思う。

ブリーダーの繁殖規制とペットを買う場合の徹底審査には私は賛成である。特定種を流行猫にする流れを憎んでいる。飼い猫の手術補助を惜しむ女性議員が、国民に三人目を生ませる方策を提唱している事も超憎んでいる。今思いつくことはこの位だ。

「定本」のあとがきを私は書くはずだった。でも、結局、こうして見ているのは現在だけだ。目の前で起こる事に手一杯の人間が、やはり目の前に出現した読者を見てあたふたし、目の前の作品の出来に焦りまくる。まあ、そういうわけで、現在、出来る限りの事を、複数の基準がこの世にあることを前提として、完全でなくとも、でも、現在の読者に、届けます。どうぞよろしく。

解説　漂流する異分子の精神

清水良典

本書はじつにおトクな文庫である。「三冠小説」とは、うまく考えたものだ。なるほど本書に収められた三作品は、一九九一年から九四年にかけて、野間文芸新人賞（「なにもしてない」）、三島賞（「二百回忌」）、芥川賞（「タイムスリップ・コンビナート」）という新人作家が目指す主要な三つの賞を総なめにした。それも三島賞と芥川賞は同時期に受賞という華々しさだった。これほど劇的に受賞が集中した作家は、その後も例を見ない。文学賞は選考委員の総意によって決まるのだが、通常はある社の主要な賞を受賞した作家を、他社の賞は後塵を拝するのを嫌って敬遠する傾向がある。それをものともせず三冠をかちえたのは、著者に対する当時の文壇の評価がいかに高かったかを物語って余りある。同時に、この短い期間に書かれた三つの作品がそれぞれ全く傾向が異なることも、著者の創作力の柔軟なパワーを読者に思い知らせることだろう。

新人作家としての栄誉の頂点を次々と手にした笙野頼子は、しかし、いわゆる「人気作家」というわけではなかった。また文壇の評価がデビュー当初から高かったわけでもなかった。むしろ全く逆である。著者が『極楽』によって群像新人文学賞を受賞してデビューしたのは一九八一年のことであるが、それ以来『なにもしてない』で野間文芸新人賞を受賞するまでのちょうど十年間、ずっと著者は無理解と不遇に苛まれてきたのだ。

　大学卒業後も就職もせず下宿にこもりつづけ小説を書き続けた結果、比較的短期間で新人賞を受賞したのだが、そのあとが長かった。外部と没交渉のまま就職もアルバイトもせず、ひたすら創作三昧に耽っていたといえば聞こえはいいが、書いても書いても理解されず、出版社に原稿を持ち込んでも「没」の連続だったという。原稿執筆生活はたしかに「ナニカヲシテキタ」はずなのだが、実家の親や周囲の人間から見れば無為徒食の生活と区別がなく「ナニモシテナイ」存在としか見られない。作家として評価に恵まれなかったという受動的な理由によるものだけではない。もともと著者の感受性は社会的存在として人と交わって生きることに堪えられず自らそれを拒否してきたのだ。今でいう「引きこもり」である。たとえば「思春期からの私の全エネルギーは、閉じ籠もりを完遂する事にのみ消費された」という文章が「なにもしてない」に見出せる。その意味でこの作品には著者の不遇な「引きこもり」時代の生活が濃く影を落としている。

「オートロックの白壁ワンルーム」に籠もっている「私」が「接触性湿疹」の劇症に苦しむという「なにもしてない」は、まさに外部との「接触」を拒んだ精神風景をグロテスクなファンタジーとして描いている。湿疹は怪物的に成長し触覚のようなものが生え、植物状の妖精が室内を飛び回る。しかし「私」が閉じ籠もっているロックされたマンションの一室の外では、昭和から平成へと移り変わる天皇即位式があり、皇族たちの伊勢神宮参拝が行なわれているのである。

　このとき、天皇を中心とする家族の一群が日本の「象徴」として崇敬されている外部と、結婚も恋愛も就職もしないまま単身で暮らしつづける「ナニモシテナイ」「私」とは、天皇制への賛否というような論理においてではなく、存在の生理として烈しく対立している。仮に妻や母としてロイヤル・ファミリーのような家族の一員に組み込まれることができたなら、「ナニモシテナイ」生活はむしろ高貴さと豊かさの象徴となるはずだ。どこにも従属せず誰の所有物でもない〈オンナ〉は、その社会にとって決して許容できない異分子に他ならない。つまり〈オンナ〉として社会に従属し貢献することなく「ナニカヲシテキタ」ことこそが、「私」が「ナニモシテナイ」強迫に脅かされる深層の原因であるといわなければならないのだ。

　そのような異分子としての単身女性にとって、郷里の共同体は抑圧の根というべきものだろう。家と嫁の、親と子の、血縁と義理の、そして噂としきたりの、濃密なスープに人間の個性も人格も溶かし込んでしまうフルサトという怪物を、「二百回忌」は反逆的に想像力で食い破ってしまう試みである。死者まで蘇って出るという二百回忌の法事では、「全てをめでたくし、普段と違う状態にしなくてはならない」。そのために真っ赤な喪服に身を包み、「トンガラシ汁」を飲み、「命懸けで出鱈目な事をしなければならない」のだが、ここで行なわれる「出鱈目な事」とは、家を叩き壊すことや「男女の差別をひっくり返」すことなのである。かつての村落共同体では祖先の霊を招く盆祭りの際にさまざまな無礼講が許されたのを思い出すが、この作品はそんな民俗的な、牧歌的な幻想に遊んでいるのではない。「普段の事」を破壊するとは、日本的共同体の思想を破壊するということだ。三十七歳になる「私（沢野センボン）」は、彼女を嫁と間違え続ける男を蹴りとばし、蒲鉾と化した壁にごみのように叩きつけてしまう。その行為に対して「若当主」が言うのは「なんと珍しい、なんと、めでたいっ。これがフェミニストや。普段はこんなことありませんぞ」という誉め言葉である。

異分子の「フェミニスト」が共同体の抑圧を見事に打ち負かしたように思えるこの世界は、しかし牢固として変わることのない保守的な共同体の現実と、決して交わることのない反世界として構築されている。「普段の事」は相変わらず、ゆるぎなく「私」の外部を取り巻いている。その外部と拮抗し破壊し返すまで、幻想と夢の言語の世界を築きあげること。笙野頼子の文学の基本形をここに見ることができる。

笙野頼子の故郷は伊勢である。いうまでもなく天皇家の祖神にして日本神話の源である天照大神が祀られた伊勢神宮の膝元だ。その後の著者の仕事は『太陽の巫女』や『金毘羅』に見られるように、公認された神話体系に対峙した異端の神話を構築する方向へ向かうが、それは著者流のフルサト超克が達成されていった道程といえるだろう。

笙野頼子の小説には夢を描いた作品が多い。最たるものは『レストレス・ドリーム』だが、「タイムスリップ・コンビナート」も「マグロと恋愛する夢」が発端となっている。誘い出しの電話が夢か現実か分からない曖昧さに包まれたまま、この作品は東京周辺の都市空間を彷徨していく。この作品の舞台は実在する「海芝浦」という鶴見線の支線の終点駅である。東芝工場の敷地内の駅で一般の乗客は下車することができない。運河を挟んだ対岸には巨大な倉庫やコンビナート工場が並ぶが、多くは役割を終え鉄錆と野草に覆われている。作品中の表現のごとく「高度経済成長の名残」であり、まさに「夢の中のように」「プラットホームに海の風が吹きつける」場所だ。明石家さんまと大竹しのぶが共演した一九八七年のテレビドラマ「男女七人秋物語」では、ここがたびたびロケで使用されていた。トレンディーな恋愛ドラマの舞台に「マグロと恋愛する夢」の延長で連れだされるという設定が、シュールでユーモラスだ。

著者流の首都圏探訪であるこの作品には、東京駅周辺の大銀行や大商社のビルが次第にうらさびれた工場の風景へ、そして廃墟のような風景へと移行していく経路がじつに正確に観察されている。著者の眼を通してバブル後の首都圏の風景が、映画『ブレードランナー』で描かれたスラム化した未来社会のごとく塗り替えられていく。しかしその風景は、かつて海芝浦の東芝工場に勤務していたことがあるという「私」の母親や、幼い頃に親しんだ四日市のコンビナートの風景を想起させるという点で、どこかタイムスリップしたような懐かしさを湛えている。

こうして三作品を改めて読み直してみると、笙野頼子の文学の中でもそれぞれが異色の作品であることを感じる。現代社会を異分子のまま漂流しつづけてきた著者の精神の運動の重要なマイル・ストーンが、ここには刻みつけられているのだ。

本書収録作品は『タイムスリップ・コンビナート』（一九九八年文春文庫刊）、『二百回忌』（一九九七年新潮文庫刊）、『なにもしてない』（一九九五年講談社文庫刊）を底本とし、一部加筆・訂正したものです。

初　出　「タイムスリップ・コンビナート」……「文学界」一九九四年六月号
「二百回忌」……「新潮」一九九三年一二月号
「なにもしてない」……「群像」一九九一年五月号

笙野《しょうの》頼子《よりこ》三冠《さんかん》小説集《しょうせつしゅう》

二〇〇七年 一 月二〇日 初版発行
二〇二一年一〇月三〇日 5刷発行

著　者　笙野《しょうの》頼子《よりこ》
発行者　小野寺優
発行所　株式会社河出書房新社
〒一五一-〇〇五一
東京都渋谷区千駄ヶ谷二-三二-二
電話〇三-三四〇四-八六一一（編集）
〇三-三四〇四-一二〇一（営業）
https://www.kawade.co.jp/

ロゴ・表紙デザイン　粟津潔
本文フォーマット　佐々木暁
本文組版　KAWADE DTP WORKS
印刷・製本　凸版印刷株式会社

Printed in Japan ISBN978-4-309-40829-3

青春デンデケデケデケ

芦原すなお　40352-6

一九六五年の夏休み、ラジオから流れるベンチャーズのギターがぼくを変えた。“やーっぱりロックでなけらいかん”——誰もが通過する青春の輝かしい季節を描いた痛快小説。文藝賞・直木賞受賞。映画化原作。

オアシス

生田紗代　40812-5

私が〈出会った〉青い自転車が盗まれた。呆然自失の中、私の自転車を探す日々が始まる。家事放棄の母と、その母にパラサイトされている姉、そして私。女三人、奇妙な家族の行方は？　文藝賞受賞作。

17歳のヒット・パレード（B面）

伊藤たかみ　40822-4

僕らは、18歳にならないと、思ってた——この夏が終わるまでこのアクセルは絶対に緩めない。素敵なヒット曲にのって“17歳”をかけぬけたレンとココの物語。芥川賞作家の疾走感あふれる青春ストーリー。

ロスト・ストーリー

伊藤たかみ　40824-8

ある朝彼女は出て行った。自らの「失くした物語」をとり戻すために——。僕と兄アニーとアニーのかつての恋人ナオミの３人暮らしに変化が訪れた。過去と現実が交錯する、芥川賞作家による初長篇にして代表作。

消えた春　特攻に散った投手・石丸進一

牛島秀彦　47273-7

若き名古屋軍《中日ドラゴンズ》のエースは、最期のキャッチ・ボールを終えると特攻機と共に南の雲の果てに散った。太平洋戦争に青春を奪われた余りに短い生涯を描く傑作ノンフィクション。映画「人間の翼」原作。

恐怖への招待

楳図かずお　47302-4

人はなぜ怖いものに魅せられ、恐れるのだろうか。ホラー・マンガの第一人者の著者が、自らの体験を交え、この世界に潜み棲む「恐怖」について初めて語った貴重な記録。単行本未収録作品「Rojin」をおさめる。

狐狸庵食道楽

遠藤周作

40827-9

遠藤周作没後十年。食と酒をテーマにまとめた初エッセイ。真の食通とは？　料理の切れ味とは？　名店の選び方とは？「違いのわかる男」狐狸庵流食の楽しみ方、酒の飲み方を味わい深く描いた絶品の数々！

肌ざわり

尾辻克彦

40744-9

これは私小説？　それとも哲学？　父子家庭の日常を軽やかに描きながら、その視線はいつしか世界の裏側へ回りこむ……。赤瀬川原平が尾辻克彦の名で執筆した処女短篇集、ついに復活！　解説・坪内祐三

父が消えた

尾辻克彦

40745-6

父の遺骨を納める墓地を見に出かけた「私」の目に映るもの、頭をよぎることどもの間に、父の思い出が滑り込む……。芥川賞受賞作「父が消えた」など、初期作品５篇を収録した傑作短篇集。解説・夏石鈴子

キッズ アー オールライト

岡田智彦

40785-2

いわゆる「不良」（父親がヤクザ）のオレはある日、友達の佐久間くんを巻き込んで〈組織〉の争いに巻き込まれてしまう。保坂和志氏に「異質さを小説に持ち込んだ、稀有な達成」と絶賛された第三九回文藝賞受賞作。

ぼくとネモ号と彼女たち

角田光代

40780-7

中古で買った愛車「ネモ号」に乗って、当てもなく道を走るぼく。とりあえず、遠くへ行きたい。行き先は、乗せた女しだい――直木賞作家による青春ロード・ノベル。解説＝豊田道倫

二匹

鹿島田真希

40774-6

明と純一は落ちこぼれ男子高校生。何もできないがゆえに人気者の純一に明はやがて、聖痕を見出すようになるが……。〈聖なる愚か者〉を描き衝撃を与えた、三島賞作家によるデビュー作＆第三五回文藝賞受賞作。

道化師の恋

金井美恵子 40585-8

若くして引退した伝説的女優はオフクロ自慢のイトコ。彼女との情事を書いた善彦は、学生作家としてデビューすることに。ありふれた新人作家と人妻との新たな恋は、第二作を生むのか？　目白四部作完結！

少年たちの終わらない夜

鷺沢萠 40377-9

終りかけた僕らの十代最後の夏。愛すべき季節に別れの挨拶を告げる少年たちの、愛のきらめき。透明なかげり。ピュアでせつない青春の断片をリリカルに描いた永遠のベストセラー、待望の文庫化。

私の話

鷺沢萠 40761-6

家庭の経済崩壊、父の死、結婚の破綻、母の病……何があってもダイジョーブ。波乱の半生をユーモラスに語り涙を誘う、著者初の私小説。急逝した著者が記念作品と呼んだ最高傑作。解説＝酒井順子

ホームドラマ

新堂冬樹 40815-6

一見、幸せな家庭に潜む静かな狂気……。あの新堂冬樹が描き出す“最悪のホームドラマ”がついに文庫化。文庫版特別書き下ろし短篇「賢母」を収録！　解説＝永江朗

溺れる市民

島田雅彦 40823-1

一時の快楽に身を委ね、堅実なはずの人生を踏み外す人々。彼らはただ、自らの欲望に少しだけ素直なだけだったのかもしれない……。夢想の町・眠りが丘を舞台に島田雅彦が描き出す、悦楽と絶望の世界。

母の発達

笙野頼子 40577-3

娘の怨念によって殺されたお母さんは〈新種の母〉として、解体しながら、発達した。五十音の母として。空前絶後の着想で抱腹絶倒の世界をつくる、芥川賞作家の話題の超力作長篇小説。